JN071961

頭のいい人だけが知っている

勉強の落とし穴

遠越 段

SOGO HOREI PUBLISHING CO., LTD

10代から70代の人に
人生で後悔していることを尋ねると、
どの年代でも「もっと勉強しておけばよかった」と
答えるそうです。

勉強するのに遅すぎるということは、
絶対にありません。
死ぬときに後悔しない人生を歩むためにも、
今から勉強を始めてみましょう。
勉強はとても楽しいものです。

人間と他の動物との違いは、勉強することです。
勉強は人間にしかできません。
体験したことによる学習は他の動物もできますが、
勉強は人間だけができる特権です。

勉強とは、経験をしていないことでも、
本を読んだり、だれかに教えてもらうことで、
技術や知識を身につけられることです。
過去の人たちが勉強して、
問題を解決してきてくれた結果が現在です。

勉強をやったほうがいいことは、みんな知っています。
ですが、勉強にはやり方があります。
勉強には絶対にやってはいけないルールがあります。
それは、時間とエネルギーをムダにする勉強です。

勉強をやっても結果が出たことがない人は、
完全に勉強の落とし穴にハマっています。
勉強ができないと思い込んでいる人は、
勉強方法を間違えているだけなのです。
本書を読めば、あなたに合った勉強法が必ず見つかります。

はじめに

大人になってからも勉強は大切だと、だれもが心の中で思っています。

しかし、学生時代の勉強とイメージが重なってしまい、勉強というのは、しんどくて、ダサくて、今さらやるものではないと、つい思ってしまうのも事実です。

学校の勉強はどうしてあんなに嫌いだったのでしょうか?

それは、おそらく、自らの意思で選んだ勉強ではなかったからではないでしょうか?
学校に行くこと自体が義務で、勉強して良い学校に行き、さらに良い成績を取って、さらに上の良い学校を目指す、ということをやらされてきたからだと思います。

これでは勉強が嫌いになっても仕方ありません。

学校の勉強しかしてこなかった方には、勉強＝つまらない、と思っている方が多いと思います。私もそうでした。これが大きな落とし穴です。

本来、勉強は義務ではなく人生をより楽しく、いろいろな可能性を発見させてくれるものです。より良い人生を歩むためには「勉強」が欠かせません。そのためには正しい勉強法を身につける必要があります。

ムダな勉強は、時間とエネルギーを消耗するだけです。

人生の貴重な時間をムダにしてはいけません。特に大人になると、仕事や家庭などでも責任が増えます。プライベートでの人付き合いにも多くの時間が必要になります。
だからこそ、無計画に時間を使ったり、仕事を適当にしたり、家族との時間をないがしろにしたりすることは絶対にしてはいけません。

まず、絶対にやってはいけない勉強法を具体的に9つお伝えします。

①自分の目標やキャリアとは関係のない勉強
②集中しないでダラダラと何となくしている勉強
③一つの学習方法に固執した勉強
④本や教科書、講義などを書き写しているだけの勉強
⑤睡眠不足や食事を取らないでする勉強
⑥家族、友だち、仕事、恋人などをないがしろにする勉強
⑦計画性のない勉強、計画を先延ばしにした勉強
⑧一度に大量にインプットしようとする勉強
⑨収入に見合わないお金を使った勉強

本書では、これらの絶対にしてはいけない勉強法を踏まえて、大人になってからの正しい勉強法について書いていきたいと思います。

「大人のための勉強」は学校の勉強ではなく、自分の選択と決断で人生を進めていく勉強です。大人の勉強は「面白い」ものであり、「楽しい」ものです。しかも、すべて「役に立つ」のです。

多くの日本人は、大学を卒業すると勉強しなくなります。だから、一日30分でも勉強をしている人は、仕事でも趣味でも結果が出ているはずです。

たとえば、一日30分の勉強でも一年で考えると180時間以上も勉強したことになるのです。30分であれば、朝早く起きたりただスマホを見ている時間をカットしたりすれば、時間の捻出は可能でしょう。

脳にとっては、新しい情報を学ぶことは報酬刺激なのです。要するにドーパミン（快感、幸せなどを感じる脳内ホルモンの一つ）の放出をもたらす刺激なのです。

したがって、勉強することは、科学的にいっても快楽につながるのです。

また、学生のときと大人になってからでは脳の仕組みが違うことがわかっています。脳が器官として完成に近づくのは、30代からという研究もあります。

このことから、学生のときの勉強と大人になってからの勉強のやり方は変えなければなりません。本書では限られた時間で、楽しく、結果を出す方法をお伝えします。

本書を最後まで読んでいただければ、きっと自分にふさわしい勉強法を確立することができるでしょう。

大人になってから勉強習慣がある人は、次のような人生を歩むことができます。

○新しい知識が身につき、問題解決能力が高まる
○仕事に意欲的になり、結果が出せるようになる
○脳が活性化し、老化が遅くなる
○共通の興味を持ついろいろな世代の友だちとつながることができる
○自分の知識を活かして、社会貢献ができる
○世の中の流れに適応することができ、生活が充実する

など、ここには上げきれないほどのメリットがあります。

また、勉強習慣がある人は、認知症や糖尿病になりづらいという研究結果もあるようです。勉強習慣があると、健康にも良いことが証明されています。

より良い人生を送るためにも、勉強する習慣を一日も早く身につけてください。勉強で得た「知識」があなたの人生を変えてくれるはずです。

仮に、苦しいこと、つらいこと、困難なことがやってこようと大丈夫です。なぜなら、あなたは自分自身の力で身につけた「知識」という人生最高の財産があるからです。

私は、この本の中で、勉強のやり方を数多く提案しています。その中で、自分で納得したものから、一つでもいいので試してみてください。

自分に合った勉強法が分かれば、続けることはそんなに難しくありません。

きっと、勉強を継続しているうちに、自分はこうしたほうがいいというアイデアが浮かんできます。そのアイデアはまさに神様からのプレゼントです。神様からのプレゼントを受け取って、自分なりの勉強法を確立してください。

本書が読者のみなさんの実り多き人生への一つのヒントとなってくれることを願っております。ぜひ最後までおつき合いください。

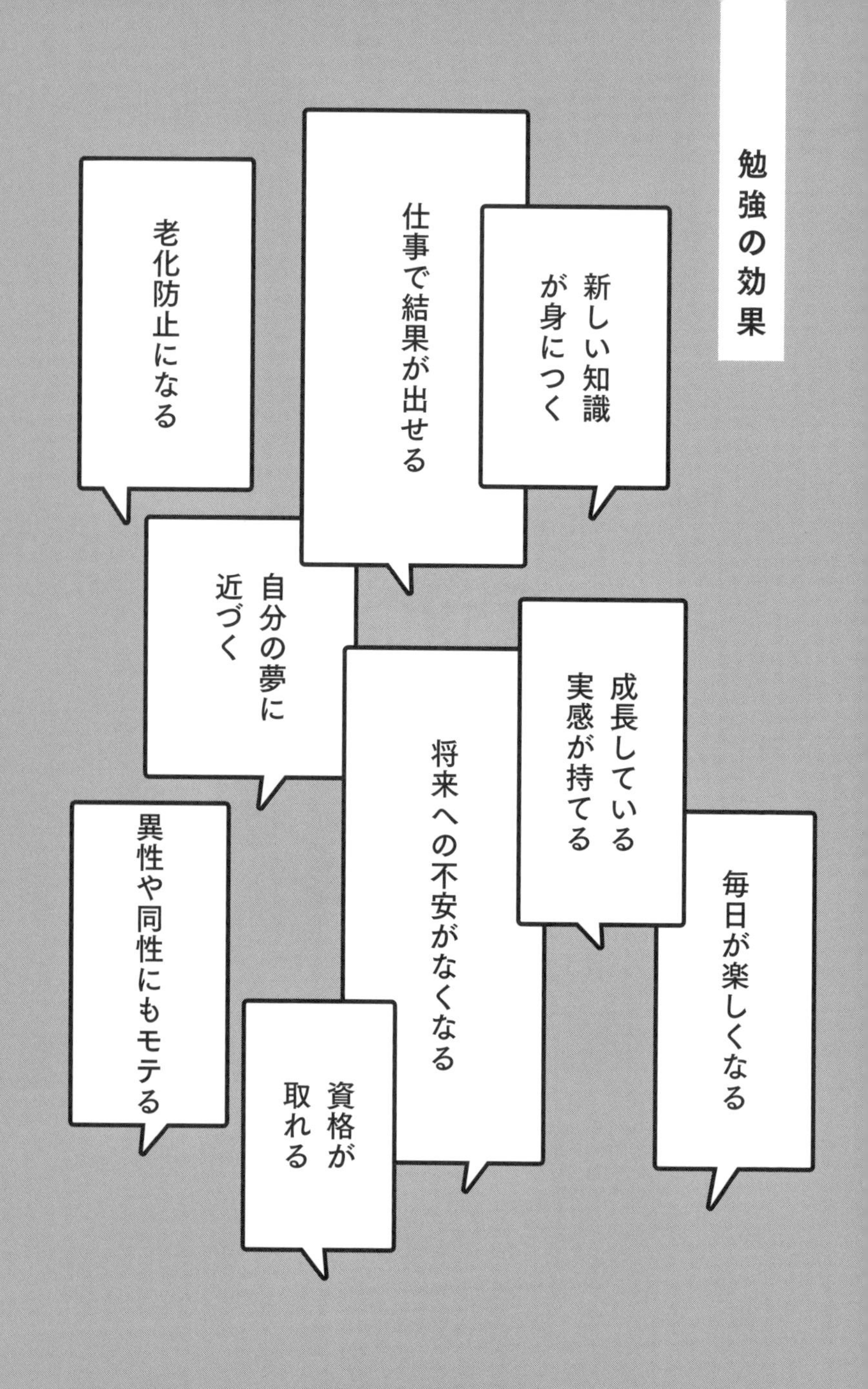
勉強の効果
新しい知識が身につく
仕事で結果が出せる
老化防止になる
自分の夢に近づく
成長している実感が持てる
毎日が楽しくなる
将来への不安がなくなる
資格が取れる
異性や同性にもモテる

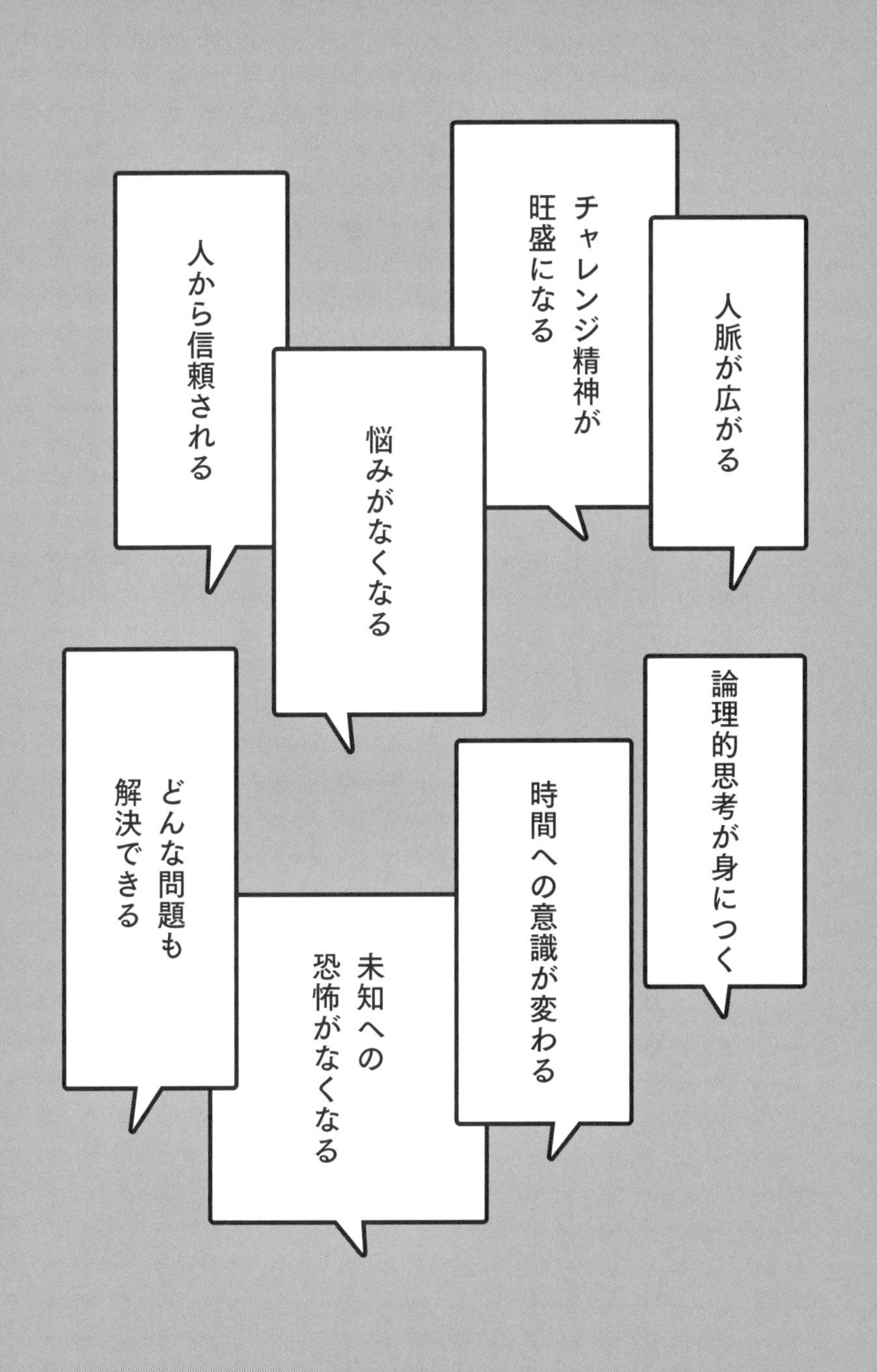
人脈が広がる
チャレンジ精神が旺盛になる
悩みがなくなる
人から信頼される
論理的思考が身につく
時間への意識が変わる
未知への恐怖がなくなる
どんな問題も解決できる

contents

第3章 大人のための勉強法

第4章 勉強に必要な記憶と読書

第5章

ワンランク上の勉強法

組版：横内俊彦
本文デザイン：木村勉
装丁：別府拓（Q.design）
校正：髙橋宏昌

第1章

勉強は面白くて、ためになる

01

勉強の始め方

勉強が大切であることは、ほとんどの人が気づいています。

それなのに、私たちはなぜ勉強ができないのでしょうか？　それは、勉強の始め方を知らないからです。たったそれだけの理由です。

勉強を始めるときに絶対にやってはいけないのは、自分が嫌いなこと、興味のないことをいきなり勉強することです。「とりあえず、英語の勉強をしてみよう」「なんかプログラミングを勉強したほうがいいみたい」など、目的がない勉強は絶対に続きません。

本来、楽しいはずの勉強が「やらされた」学校の勉強により、嫌いになってしまい、勉強したくない人を多く生み出しています。興味のないことを勉強しようとすると、学校の勉強と同じく嫌いになってしまいます。

ところが、私が考える「大人の勉強」は違います。自分に合った、自分の好きなことを身につけることこそが、「大人の勉強」なのです。

確かに第一歩を踏み出すには勇気と努力が必要ですが、その後は「面白くて、ためになる」をテーマに勉強していけばよいのです。

一度、勉強を始めると、人生に対して前向きになっている自分を見つけることができます。そのうちに勉強も楽しくなるはずです。

今、私たちを取り巻く環境は厳しいものがあります。いつも右肩上がりだった経済はとっくに終わりました。再び勉強を始め、そしてし続けないと、生き抜くのが難しい時代となりました。

しかし、義務的ではなく、自らの意思で選択する勉強は面白いものです。そして、ためになることをみなさんに本書を通じて知ってほしいのです。

勉強を楽しむためには、まず自分の好きなことから始めてみてください。

大人の勉強はとにかく、自分にとって面白いことで、役に立つことでなくては意味がありません。それは強制されるものでも、義務でもないからです。

面白いこと、楽しいことはたくさんあります。

見つけることはそれほど難しくはありません。

私でいえば、「プロ野球」「ラグビー」「音楽鑑賞」「スーパーでの買い物」「海外旅行」、そして「読書」がそうです。

また、最近ではソロキャンプが加わりました。山の中で過ごす時間は、都会では味わえない豊かさを感じることができます。私は簡単な料理しかできないのですが、目玉焼きでも山の中で食べると「なんておいしいんだぁ」と特別な料理にすら思えます。

夜には焚火(たきび)をしているのですが、山の中で火を眺めているだけで、精神が整っていく感じがします。

今では、よりキャンプを楽しむために、キャンプ道具を集めたり、簡単に作れる料理の勉強をしています。

まずは自分の好きなことから始めることが大事です。

好きなことを見つける方法がわからないという方もいると思います。好きなことを見つける方法は人によって違うと思いますが、大切なのは自分と向き合い、自分は何に興味があるのか、何をしているときに夢中になれるのかなど、それを追求してみることです。

どうしてもわからない場合は、家族や友だちに聞いてみるのもいいでしょう。自分では思いつかないような新しい発見があるかもしれません。

読者のみなさんも何でもいいので、まずは「好きなこと」を見つけてみてください。

POINT

- 自分の好きなことから勉強を始めてみる
- 何をしているときが楽しいか考えてみよう

02 これからの時代は学ぶ人が求められる

勉強は学生時代にたくさんやってきたから、社会人になったら勉強はやらなくてもいいと考えている人が意外と多くいます。この考えは、絶対に捨ててください。

むしろ、**学生のときの勉強より、社会に出てからどれだけ勉強できるかが大事なのです。**

日本では「初めて会ったときに、相手の学歴を知りたい傾向がある」という話を聞いたことがあります。

どこの大学、どこの高校を出たのかを知れば、その人のおおかたの背景が読めるというのがその理由でしょう。

確かに、もし同じ学校であれば共通の話題があり、同じ地方の高校であれば、地元が一緒ということで親しみが湧き、安心できるでしょう。

また、相手が東大出身、京大出身と聞くと一瞬ひるんだりしてしまいます。「どこの学校が一番良いか」や「東大合格者ランキング」などの特集で売り上げを伸ばしている雑誌がいくつかあります。こうした日本の学歴信仰は根強く残っています。

しかし、実際に私たちが直面する現実はどうでしょう。

いくら有名大学、有名高校に入ったからといって、その人の生涯が保証されることは決してありません。最初の会話や、お酒の席などで話が盛り上がっても、有名大学卒だからという理由で仕事が回ってきて、収入が増えるということはありません。

高度経済成長期には、新入社員を採用する基準として、出身大学を重視していた企業が多くありました。入学試験で良い成績を残した人を、仕事上も「頭がいい」「優秀だ」と推定しても、何とか会社が回った時代だったからです。

ところが、現在では事情はまったく変わってしまいました。

結果が常に求められているのです。いかに利益を出すことができる人かどうか、社会に役立つ人かどうかが正面から問われるようになりました。

仮に有名大学を出て、大企業に就職できても、業績が振るわない人は「辞めてください」と言われてしまう時代になってきました。

これは、アメリカなど諸外国では以前から当たり前のことでした。単に過去の学歴ではなく、これから、どれだけ勉強できる人かどうかで評価されているのです。

また、年金もあてにできませんので、会社を換えて、生涯働き続けないといけないという人も多いでしょう。会社を換えて結果を出すには、やはり勉強が必要になります。

アメリカを代表する経営者であるジャック・ウェルチは次のように述べています。

「競争に勝つための究極の武器は、学習する能力と、学習したことを取り入れてすばやく行動に移す能力だ。その武器は様々な方法で開発することができる。たとえば、偉大な科学者から学ぶ、りっぱな経営実績からあるいは優秀なマーケティングの達人から教わる、といったことだ。しかし、新しく学習したことをすぐに身につけて活用しなければ意味がない」（『ウェルチ』ロバート・スレーター著／宮本喜一訳／日経BP社）

このジャック・ウェルチの言葉は組織について語ったものですが、彼は個人にも、こうしたいつも勉強する姿勢を求めています。

仕事も人生も、勉強の継続と工夫が、これからの時代を生き抜くために最も大切なことです。これは絶対に間違いありません。

POINT

- 人生100年時代では、学ぶ力が大切になる
- 結果を出すための勉強が必須になる

03 英語を学ぶ

英語なんて、今はすぐに翻訳してくれるアプリがたくさんあるから勉強しなくても大丈夫、と思っている人も多いでしょう。これは間違いです。

確かに、英語を写真に撮って翻訳してくれるもの、話している英語を瞬時に日本語に変換してくれるものなどがあります。旅行先や、日本国内で外国人に話しかけられたりするときにはとても便利です。私もよく使います。

仕事で使うわけでもないし、外国人の友だちもいないし、日本に住んでいて英語を話せなくても不便と思ったことはない、という人も多いでしょう。

ただ、実は英語を理解できないことはとても大きなハンディキャップになるのです。なぜかというと、**世界最先端の情報というのはすべて英語で発信されているからです。**日本語で発信されるのを待ってからでもいいのではないかと思うかもしれませんが、それでは遅すぎるのです。

これだけスピードが早い時代で英語の一次情報が取れないと、みるみるうちに世界と大きく差が開いてしまいます。

また、**英語を話すことができると世界中の人とコミュニケーションを取ることができます。**アプリでコミュニケーションできるから問題ない、と思うかもしれませんが、会話ではどうしても、アプリだとタイムラグが発生し、会話がスムーズにできません。また、感情も伝わりません。うまくコミュニケーションができない相手と積極的にコミュニケーションを取りたいと思う人は極めて稀（まれ）です。

また、そういう相手に貴重な情報を話すかというと、当たり障（さわ）りのない会話をして終わりになってしまうでしょう。そういった理由で、英語をきちんと理解し、話せるというのはものすごいアドバンテージになるのです。
まだ何を勉強していいかわからない、決めていない、という人にも英語はとてもオススメです。

今は、YouTubeなど無料で学べる場所はたくさんありますし、英語のポッドキャストやオーディオブックを聴くのもいいでしょう。
また、今は外国の方も多く日本へ旅行に来ているので、困っていそうな外国人を見つけて積極的に話しかけてみてもいいでしょう。

一番の上達方法は、外国人の恋人や友だちを見つけて、英語をどんどん話す習慣をつけることです。話さないと英語は上達しません。
外国人と出会えるコミュニティイベント、国際学生の集まり、異文化交流会などに出かけてみるのもいいと思います。

そういうところが苦手な方は、ＳＮＳでも外国人とコンタクトすることができるので、共通のスポーツが好き、アニメが好き、アーティストが好き、などの趣味がある方などに勇気をもってコンタクトを取ってみるのもいいでしょう。

いろいろな国の方とつき合うと、世界が広がります。相手の文化や価値観、バックグラウンドなどをきちんと尊重して、積極的にコミュニケーションを取れば、あなたにもきっと良い外国人の友だちができるはずです。ぜひ、外国人の友だちを作ってみてください。

POINT

- 英語が理解できると一次情報が手に入る
- いろいろな人とつき合えるので世界が広がる

04

20代からの学び直しが一生を決める

「もう自分は50歳を過ぎたから、勉強してもムダ」と考えている人がいたら、その考えはやめてください。

勉強を始めるのに遅すぎるということはありません。

気づいたとき、勉強を始めたときが新しいあなたの人生の始まりです。ただし、20代の勉強がとても重要であることも真実です。やはり、この時期に自分を伸ばすための勉強ができている人は、土台が違うようです。

義務ではない大人の勉強を始めるには、強いきっかけが必要です。
大学を卒業すると、勉強が義務ではなくなります。
つまり、自分の気持ちを奮い立たせることが求められるのです。20代というのは、心

（気持ち）の活力が強くて、エネルギーにあふれています。

だからこそ、早く自分のための勉強法を確立できれば、後々の勉強が苦ではなく、楽しく、面白く継続できるのです。

20代は、高校や大学を卒業して、いわゆる社会に出て、自分の力で生活を始める時期です。すると、学生時代に学んだこと、夢に描いたこととのギャップに必ずといっていいほど悩みます。世間や会社、ビジネスというものの現実を初めて体験するのですから当たり前のことです。

また、勉強が義務ではなくなり、自主的なものになります。自主的な勉強には必ず強い動機が必要です。

ある人は「自分はなんて非力なんだろう。なんてダメなヤツなんだろう」と夢や目標をあきらめるかもしれません。

しかし、一方では「なるほど、世の中には自分の知らない世界がいろいろある。奥が深いなあ。勉強するぞ！」とむしろ意欲が湧くかもしれません。

どちらの人がその後の人生を有意義に過ごしていけるかは、いうまでもありません。そして、それを決めるのは、あなたの気持ち一つということです。

30代以降は、「20代で勉強を始めた人が、その成果を手にして、自分なりの仮説を立て、それを証明していく時期」といえるでしょう。

たとえば、「自分にはこういう考えで、こういう生き方で、こういう仕事をしていくのが向いている」などと考えます。この仮説をさらに確信に導くために、自分の人生の成果（収入増につながったり、良い人間関係をつくったり、知的満足を得たりする）として勉強に励むのです。

人によっては、20代はあれこれ悩む時期で、30代以降に勉強を始め、一気に仮説を立て、それを証明していくという方法もあるでしょう。

脳の機能を考えると、20代は脳がまだ発達中で、30代以降に完成していく、という研究結果もありますので、30代から勉強を始めてもまったく問題ありません。

私は、20代のほとんどを一人であれこれ悩み続けていました。

しかし、30代のはじめに、ある会社の海外事業部に勤務することになり、そこから猛烈に勉強し始めました。

読者のみなさんも何歳からでも遅くないので、勉強を始めてみましょう。

POINT

- 20代からの学び直しが人生を決める
- 勉強を始めると、人生が有意義なものになる

第2章

勉強は目標を立てることから始まる

05

人生の目標を立てることの必要性

目標がないと、勉強にしろ、スポーツにしろ、ダイエットにしろ、何もかもが中途半端になってしまいます。**目標を立てない勉強は絶対にやってはいけません。**

これは人生においても同じです。

自分の人生の目標を立てておくことはとても重要です。

アメリカのスタンフォード大学で体操チームのヘッドコーチを長年務めていた浜田貞雄（さだお）という方がいます。

スタンフォード大学は、ヤフーの共同創業者ジェリー・ヤン氏をはじめビジネス界に幾多の人材を輩出し、「成功したければ、スタンフォードに学べ」とまでいわれている学校です。

さらに、スタンフォード大学は勉強ができるのに加え、スポーツも強いのです。

過去のオリンピックの金メダリストは、スタンフォード大学を除いたアメリカ一国の総数よりも、スタンフォード出身者のほうが多いというのだから驚かされます（つまり実質的には世界一）。

ちなみにゴルフのタイガー・ウッズやテニスのジョン・マッケンローもスタンフォード大学で学んでいます。

浜田氏が「日米スポーツ選手の比較論」について研究したときのことです。浜田氏はかつて体操のアメリカ・ナショナルチームのコーチもしていました。日本人のトップアスリートが20代の途中から伸び悩むことに疑問を抱き、直接選手にいくつかの質問をしたそうです。その結果、一番驚いたのは、日本人選手たちに「人生の目標」を聞くと、「考えたことがない」という答えが返ってきたということでした。いつも目の前の大会で入賞することのみに集中していたのです。

「次のオリンピックで金メダルを取る」「スポーツや、人生で何を大切にしていくのか」「人生をどう生きるのか」などの、より大きな目標を立てていなかったのです。

だから、目の前の悩みばかり増えて、心も右往左往するのでしょう。

私は、この話を聞いていくうちに、これは我々の生き方にも大いに通じることだと思いました。私の仮説の一つに、成功するには、

①自分のなりたいイメージを持つ
②正しい人生の目標を立てる（それを紙に書く）
③毎日の仕事や生活を工夫する（＝勉強する）

というサイクルがあります。ポイントはこの三つを繰り返すことです。この「成功のサイクル」を実現することが一番よいのではないかと考えています。

だから、私は自分の人生に目標を立てること、そして、それをノートなど紙の上に書くことを強くすすめています。

目標を立てることによって、自分の日々の勉強や工夫がより正しい方向（つまり自分の目標に合うもの）になってきます。

それだけでなく、**いつも、その目標を意識することによって、勉強や練習の熱心さの度合いも違ってくるのです。**何としても達成したい大きな目標だからこそ、毎日の勉強もがんばることができるのです。

POINT

- 勉強を始める前に目標を決めることが大事
- 目標があるから勉強をがんばることができる

06

私の目標の立て方

私はさらに、目標の立て方を三つに分けています。それは次のようなものです。

①人生の目標、ライフワーク（大目標を決める）
②3年間の目標（中目標・テーマを決める）
③1年間の目標（目標の達成度を測定する）

人によって、この期間の区切り方に差はあるでしょう。③の1年間の目標をさらに1週間、1か月、3か月、半年と区切って達成度を確認するのもオススメです。

自分の経験と他人の成功談などを総合すると、今のところ、ざっくりとこの三つの分け方がよいと考えています。

この三つの目標で自分の生き方を明確にし、毎日の仕事と生活に工夫を重ねるのです。目の前のことを勉強、工夫し続ける人が、「成功する」「夢はある」「願いもたくさんある」と思うからこそ、実現するのです。

ただし、思うだけで成功する、あるいはイメージトレーニングだけで成功するなどと、単純に考えている人はいないでしょうか。

私は、目の前の仕事や生活で勉強、工夫しないで本当に成功する人はいない、と考えています。つまり、勉強をしない人はやはりダメ、伸びていかないということです。

人生において、「なりたい自分」をイメージし、目標を立てたならば（さらに目標を紙の上に書く）、後はいかに目の前の仕事に真剣に取り組むかが重要です。

仕事というのは、「改善・工夫」の連続でもあるのです。ただ、漫然と同じことを繰り返すだけでは、本当の仕事をしていることにはなりません。

そもそも、ドイツの社会学者マックス・ウェーバーによると、資本主義の精神は「①労働それ自体を尊重する、②目的合理性を持つ、③利子、利潤を倫理化する精神」としています。つまり、一心不乱に自分の仕事に集中して、利益を上げていくことに喜びを感じなければならないのです。

マックス・ウェーバーは、これを「行動的禁欲」と呼びました。

さらに「資本主義の生命は、イノベーション（革新）にある」と経済学者であるシュンペーターは指摘しています。シュンペーターによると、「イノベーションは創造的破壊であり今までの生産のやり方、秩序や慣行を破壊して、生産要素の新結合の仕方を改めること」であると指摘しています。

第二次世界大戦の敗戦後に日本企業は、アメリカの生産方法などを学びつつ、経済復興に向けて自ら工夫し、努力を重ねてきました。そこから生まれた言葉「改善」は、諸外国からも「カイゼン」として注目を集めました。この「カイゼン」は、日々の業務の中から勉強、工夫を重ねて、問題を解決し、競争力を強化していこうというものです。

「イノベーション」も「カイゼン」も、要するに、勉強を続けて、仕事を工夫し、新しいものを生み出していかないと成功はないというものです。

この考え方はどんな時代でも必ず通用します。読者のみなさんも自分なりに目標の立て方をカスタマイズしてください。

POINT

- 目標は短期、中期、長期で立てるといい
- 目標の進捗を確認し、改善と工夫を繰り返す

07

知的生活の方法と実践

大人の勉強法は「面白くて、ためになる」ことに尽きます。特に、「ためになる」というのは、自分の人生を豊かにするものです。

意識の高い人は、常にこれを念頭に置いて勉強しています。仕事の能力・スキルが上達し、所得が増えて生活が豊かになるからこそ、疲れた体にムチを打ってでも勉強するという人も多いでしょう。当然のことです。

ところが、生活の質の向上に寄与するのが勉強ですが、「面白い」と思えないと進まないのも事実です。「面白い」という感覚は人それぞれ違います。

野球を観るのが面白い、フットサルをするのが面白い、音楽を聴くのが面白い、食べ歩きをすることが面白いなど、さまざまでしょう。また、何が「面白い」と感じるかは、年齢を重ねることによって、何よりも勉強を続けることで変わってきます。

たとえば、海外旅行が好き　↓　英会話ができると楽しい　↓　外国人とつき合うのが面白い　↓　外国の本を読むのが面白い　↓　英語を日本語に翻訳するのが面白い、というような流れができたりします。

「面白い」と思えることはたくさんあります。これはだれでもそうでしょう。**知的好奇心は人間にとって、発展や成功するための原動力です。**プリンストン大学のアグスティン・フエンテスは、知的好奇心こそが人間のテクノロジーの発展に欠かせないものだとしています。

そして、私の場合、その底に「知的生活」をしたいという想いが強くあります。「知的生活」などというと少し偉そうですが、私の解釈では、「好きな本を読んだり、集めたり、一人で静かに考えごとをしたり、考えたことを文章に書いてみたりする」ことです。この生活への想いと実践が、人生においても、何か自分なりの勉強と工夫を続けられている背景になっているように思います。

これからの時代は、日本国内だけの知識人との交流では、仕事も自己実現も難しくなってくるでしょう。外国の優秀な人々とつき合い、そこから学ぶ必要もあります。

今は、SNSなどで簡単に海外の方とも繋がれる時代になりました。とてもいい時代です。その際に大切なことは、その人がどれだけ自分なりの知的背景があるのか、自分の考え方を持っているかどうかです。

文化が異なり、歴史的背景が違う人同士が真剣につき合っていくには、アイデンティティーが確立されていなければなりません。

つまり、どれだけ「知的生活」をしているか、ということなのです。

「知的生活」の中身は、人の数だけあるでしょう。

私がやっている「知的生活」を述べさせてもらいます。次の7点です。

①自分の本棚・机を持つ
②日本の歴史・世界の歴史に興味を持ち、勉強する
③好きな作家・作品を持つ（映画を含めてもよい）

④好きな音楽・音楽家を持つ
⑤思索し、文章を書く
⑥一人になれる場所を持つ
⑦知的会話ができる友人を持つ

こうした**知的生活をしている人は、いざ道を切り開いていかなければならないというときに、真の力強さ、ねばり強さを発揮できるのです。**

POINT

- 知的好奇心は人間にとって発展や成功するための原動力
- 知的生活をしている人は道を切り開いていける

08

結果を求める勉強法

日本人に少々欠けているのが、「結果に対する責任」ではないでしょうか。

勉強でも、仕事でも、結果は必ず意識してください。結果なんて、後からついてくるという考えは、今すぐに捨ててください。

時代の流れとしては、自分の仕事・行動に対する責任を明確にするという方向に行くでしょう。いや、それはもう始まっているのです。

したがって、私たちの仕事への態度は「言いわけなし、結果を求める」ようにしていきましょう。だからこそ、「勉強」を続けていかなくてはいけないのです。

どの業界でも、トッププレーヤーでいるためには、常に勉強しなくてはいけないのです。

自分の欠点と相手の研究をしなくては勝ち続けられません。

メジャーリーグで活躍している大谷翔平選手を見ていても、その努力ぶり、勉強ぶりには脱帽します。どんなに才能があってもそれだけでは一流になれないということです。

本を書くことが仕事である作家やライターも、これに近いものがあります。

つまり、売れない、読まれない本を出してしまうと、次に本を書かせてもらうチャンスがないということになります。勉強を続けない著者は、だんだん仕事がなくなっていくのです。

仕事に強くなる勉強のコツは、このような「自分を甘やかさず、いつも結果を求めていこうとする態度を持っているかどうか」です。

つまり、どんな結果に対しても人のせいにしたりせず、自分の勉強が足りなかったという態度でいることです。

このように自分自身の責任に引き寄せて物事を考えられる人は、どんどん成長していきます。他方、すべてを他人の責任にする人は決して伸びる人にはなれません。

スタンフォード大学では、勉強のできる人に加え、スポーツにおいても優秀な人を求めているのですが、スポーツの才能もさることながらそれ以上に、その人が「コーチャブル（Coachable）」であることを重視するといいます。

コーチャブルとは、「自分自身の努力で進歩していくために、教わる気持ちを強く持っているかどうか」ということです。

自分の力を過信したり、すべてを人のせいにしたりする生き方の人は、スポーツの世界でも、ビジネスの世界でもどんな世界でも伸びないのです。

自分の発言、行動、仕事の結果などを見直し、大いに反省し、努力するといったことは生涯続けていかなければなりません。

大いに反省し、それをきっかけに自分の習慣を良い習慣に変えていきましょう。人間は何かきっかけがないとなかなか自分を変えることができません。

結果が出なかったときは、良い機会だと思って、きちんと反省をし、自分の発言、行動、やり方、姿勢などを改めましょう。

POINT

- 結果が出ないときはきちんと反省をする
- その反省を糧に努力できる人が成長する

09

勉強と仕事は期限を決める

期限を決めない勉強は絶対にやらないでください。

仕事では必ず納期が決められています。仕事とは、納期を守り、かつ品質のよいもの（求められている以上のもの）を提供することです。仕事のできる人というのは、納期を守れる人でもあります。

この納期型勉強法の代表が入学試験です。もちろん、試験は始めから期日が決まっていて、自分の都合で延ばすわけにはいきません。

だから、勉強が嫌いな人も、試験直前の一年間は真剣に勉強をします。

現行の大学入試制度は弊害も多いのですが（つまり合格して、入学したら勉強はしなくてもよいという日本の特殊な風潮）、入ることができるという学力は保証してくれます。

また、中国や台湾、韓国の受験勉強の過熱ぶりは有名です。国全体の学力も高いといわれています。

私も大学受験という制度がなかったら、たとえば英語の基礎力などはとても身につかなかったと思います。30代になって英語を一から勉強し直してみようと思って始めましたが、それは受験勉強の成果による蓄積が大きく、そのおかげでスムーズに英語が入ってきたのではないかと思っています。

この納期型勉強法をうまく活用したのが、灘（なだ）や開成、麻布、ラ・サール高校などの超がつくほどのエリート学校です。

彼らは、中・高一貫教育ですので、中学校3年間か少なくとも高校1年までに、高校3年間の履修範囲を終わらせてしまいます。

一般の受験生が高校2年の終わり頃になって「そろそろ受験勉強をやらなくては」と納期を心配するのに対し、彼らは中学1年から納期と戦い、品質を競い合うわけです。そのうえ品質指導員・コーチ陣（教師）が優秀ですから、余計な勉強に走らないように指導してくれるのです。ですから、受験に強くなるのは当たり前のことです。

私が高校2年生のときに、ラ・サール高校から転校生がやってきました。

彼は「画家になるから、普通の高校でいいんだ」と言って転校してきました。3年生のとき、同じクラスで席が隣になったのですが、彼は授業中ずっと寝ていました。

彼が言うには、「だって、全部知ってるから」ということでした。

実際、試験をやるとダントツのトップでした。5年間分の差があるのはわかっていましたが、やはり同じ高校生としては悔しかったのを覚えています。

このように、灘高などの進学校が開発した「納期」を早く、細かく設ける方法は、受験制度との関連はともかく、大人になってからの勉強にも大いに参考になります。

資格取得のための勉強などは試験日（納期）が決まっているので、比較的勉強に身が入ると思いますが、納期が決まっていないものを勉強するときには、自分なりに納期を設定して、ずるずると納期を延ばさないことが大切だといえるでしょう。

英語でも、ダンスでも、資格でも何でもいいですから、自分のやりたい勉強に納期を設け、自分に課すのはとても賢い方法の一つです。

POINT

- 仕事には必ず納期がある
- 納期を設定することにより勉強が捗る

10

だれにも負けない専門性を身につける

「自分が何に向いているかわからないから、とりあえず、いろいろなことを勉強してみよう」と考えている人がいたら、それはやめてください。まずは何か一つを窮めることを考えてください。

人生も仕事も役割分担なのです。

人生を強く生きるために、自分にしかできないという専門性を身につけることほど強い武器はありません。

そして、偉大な人たちは何らかのスペシャリストであるとともに、広い視野で見ることができる人、ということもいえるかもしれません。

松下幸之助などの著作を読むと、「素直に考えよう」「熱意が大切」など、人としての心構えを主に説いていて、細かいことにはあまり触れられていません。しかし、松下幸之助の創業時からの軌跡を追うと、彼はほとんど自分と妻とその弟たちで、ものづくりの仕事をしてきたのです。会社が大きくなり、特に戦後になって人材も育つと、ものづくりの視点に加え、その人たちをいかに育て、活躍させるかに力点が移っていったようです。

一方、ソニーにしても、井深大（いぶかまさる）、盛田昭夫（もりたあきお）の二人の創業者はともに技術者でした。会社の発展とともに、ソニーを世界に広めるため、井深は技術に対するあくなき夢を求め、盛田は行動力、マーケティング力と役割分担がなされるようになりました。

盛田も最後まで技術者の視点を武器として経営に活かしました。

世界的に大ヒットした商品であるウォークマンの完成は、「モリタ・マジック」とも呼ばれています。

盛田は、大人になったら、各自がスペシャリストを目指し、専門性を身につけるべきだと考えていたようです。その上に、会社のベクトルを考え、会社のマネジメントも考えていけるようになるということです。盛田の著書『学歴無用論』（朝日文庫）の中の「スペシャリストになりたまえ」という項で、次のように力説しています。

「バッハも、ピカソも、アインシュタインも、フォードも生まれながらにして、あの偉大な才能を自覚していたわけではない。人はだれでも種々様々な能力を持っているものなのに、自分がどんな優れた能力があるかを知らずにいる場合が多いと思う。どの世界でも、偉人というものは、たいてい、自分で自分の能力を発見し、育てていった人であろう。だれにもあるいろんな才能を徒（いたずら）に眠らせておくというのは、まことにもって、もったいない話。そして、眠っている才能をたたき起こすのは、自分自身の仕事である」

この盛田の言葉には、どんな人でも才能を持っており、その才能を引き出すためには勉強をし続けて、自分の才能を発見し、その能力を磨いていき、だれにも負けない専門性を見つけてほしいというメッセージが込められています。

物事には、共通の原理・原則というのがあるともいえます。

一つのことを窮めている人というのは、自分をある到達点まで高めた人であるから、何をやらせても、うまくいきます。専門以外の領域においても、何かしら注目されるものを持っているように見えます。

自分に何が向いているのかということは、きちんと把握しておくべきです。自分が得意なことを見つけて、得意な部分を伸ばしていくと、自然と他のことでも結果が出せるようになります。

POINT

- 一つのことを窮めると他のことでもうまくいく
- まずは自分に向いていることを把握する

第3章

大人のための勉強法

11 ドラッカーの勉強法

世界中のビジネスマンに影響を与え続けてきた経営学者のP・F・ドラッカーですが、これまでどのように勉強してきたのでしょうか。

自身の勉強法について語った著作はあまり見られません。

その中でも比較的詳しく述べられているのが、ジャック・ビーティ著／平野誠一訳の『ドラッカーはなぜ、マネジメントを発明したのか』（ダイヤモンド社）と、ドラッカーと中内功（ダイエー創業者）との往復書簡集『挑戦の時』、『創生の時』（いずれも上田惇生訳／ダイヤモンド社）です。この本の中で述べられていることは、『プロフェッショナルの条件』（P・F・ドラッカー／上田惇生訳／ダイヤモンド社）に要約されています。しかし、少々要約し過ぎのような気もします。

これらの本から私なりにまとめると、ドラッカーの勉強法は次の4つのことを大事にしています。

第一に、「生涯の目標とビジョンを持ち、それを追い求め続ける」ということです。これは、ドラッカーが18歳のとき、ヴェルディのオペラを聴いて感動したことがきっかけでした。

オペラを聴いた後、ドラッカーはこんなすばらしい曲を作ったヴェルディはどんな人物かを調べたそうです。

すると、その曲はヴェルディが80歳のときの曲で、ヴェルディは次のように述べています。「音楽家としての全人生において、私は常に完全を求めてきた。そしていつも失敗してきた。私には、もう一度挑戦する責任があった」（『挑戦の時』）

ドラッカーは、この言葉から「いかに歳をとろうとも、決してあきらめずに、目標とヴィジョンを持って自分の道を歩き続けよう、そしてその間、失敗し続けるに違いなくとも完全を求めていこう」と決めたのです。

第二に、「3年ごとに新しいテーマについて勉強する」ということです。

ある一つのことに集中して勉強するのです。これによってたくさんの知識を仕入れるだけでなく、新しい体系や新しいアプローチ、新しい手法を手にすることができるのです。勉強したテーマのそれぞれに別の仮定があり、別の方法論があるのです。

第三に、「目標ややるべきことを紙の上に書き留める」ということです。

これはドラッカー自身が、3、4年ごとに研究するテーマの一つとした、中世における「イエズス会」と「カルヴァン派」から学んだことです。なぜこの二つの会派が伸びたかというと、「何をなすべきか」「結果はどうであったか」を常に書き留めていたからだそうです。これにより、「何について、どのように改善する必要があるか」「自分ができないこと、したがってはならないこと」がわかるのです。

第四に、「毎年、決めた時期に一年間の反省をチェックする」というものです。

ドラッカーはこの方法を、若いときに働いていたフランクフルトの新聞社の編集長から教わったといいます。それを10年後に思い出してから、毎年夏に2週間の自由な時間を作り、一年間の反省をすることにしたといいます。「集中すべきことは何か」「改善すべきことは何か」「勉強すべきことは何か」をです。

ドラッカーの勉強法が、私の考えていた勉強の方針・成功法則に結果として近かったことは、うれしくもあり、自信も湧いてきます。

POINT

- 何歳でも目標を持ち挑戦し続ける
- そして、一年ごとに反省をする

12 好きな人に学ぶ

嫌いな人から、我慢して学ぶことは絶対にやめてください。

一番効果的な勉強法は、何といっても「好きな人」に学ぶことです。

学生のときを思い出してほしいのですが、好きな先生の教科だけなぜか成績がよかったという経験はありませんか？

歴史的に見てもそうです。坂本竜馬は、尊敬する、そして大好きな勝海舟に学ぶことによって一気に才能を開花させました。

好きな人、尊敬する人から学ぶことによって、たくさんのことを受け入れ、理解力も増します。その好きな人に喜んでもらおうと勉強を重ねるからです。このことは勉強だけでなく、仕事やスポーツの分野にも当てはまります。

何か勉強したいことがあったら、好きな先生を探してみるというのも賢い勉強法の一つです。

戦後日本のビジネス界で最も注目された事例の一つに、どん底の弱小ビールメーカーだった「アサヒビール」が、当時ガリバー企業だった「キリン」を逆転したということがあります。奇跡が起きた理由はいくつもあるのでしょうが、私は次のように考えます。

それは、リーダーが尊敬できるか、好きになれるかどうかです。もちろん逆にリーダーが部下を信頼できるか、好きになれるかどうかでもあります。

倒産寸前といわれていた「アサヒビール」は『スーパードライ』という大ヒット商品を生み出し、一気にキリンを抜き去りました。この奇跡の逆転劇には多くの功労者がいます。中でも私が注目したいのは、当時アサヒビールの社長だった村井勉(つとむ)です。営業本部長として「生ビール路線」を陣頭指揮していた中條高徳は次のように述べています。

「村井さん自身の哲学は「無執(むしゅう)」だといいます。ものごとにこだわらない。自分を売り込んだりしない。確かに、その人柄の爽やかさは、まわりの人たちをみんな村井ファンにしてしまわずにはおれませんでした。会ってすぐに強烈な個性に惹かれたり、頭の切れに感服するといったたぐいの人ではありません。それがため、私は当初、村井さんにどんな能力があるのかと、たいへん失礼な見方をしたくらいです。しかし、その人柄に接し、大局的指示の的確さや部下活用の妙を見るにつけ、私は自分の不明を深く恥じ入りました。そして私自身もまた、熱烈な村井ファンの一人となったのです」（『兵法に学ぶ　勝つために為すべきこと』中條高徳著／経済界）

こうしたリーダーと部下の信頼関係があったからこそ、奇跡は起きたのだと思います。

好きな人、尊敬する人に学ぶという幸せは、いろいろな意味で有意義です。勉強もできるようになり、仕事にも強くなり、人として最高の人間関係を学べます。

ただ、好きな人、尊敬できる人を探すというのは、とても難しいことです。

まずは、自分の価値観や目標をきちんと明確にすることから始めましょう。そして、興味を持ったことを徹底的にリサーチしましょう。また、興味を持ったことに関するセミナーや講演会などに参加するのもオススメです。
そういった行動をしていると好きな人、尊敬できる人が見つかりやすくなります。

POINT

- 尊敬できる人から教わると理解度が増す
- リーダーと部下の信頼関係が組織を強くする

13

勉強好きの人に近づく、つき合う

勉強の習慣を身につけたかったら、勉強習慣のある人とつき合いましょう。勉強習慣がなく、サボることばかり考えているような人とつき合ってはいけません。

勉強ができるようになる、仕事ができるようになる秘訣は、好きな人、尊敬する人に教わることです。人は一緒にいる人に影響を受けます。

そして、これが人間関係の強固な基礎をつくってくれます。

さらにあなたが人間関係に強くなり、仕事の実力もつけていくためには教わる人を含め、「どのような人とつき合っていくのか」ということが大切です。

人はつき合う人を見れば「わかる」とは、よくいわれていることです。

また、子どもは親を見れば大体わかるともいわれています。

なぜなら、子どもは生まれたときからいつも親と一緒にいるのです。こんなに深いつき合いはありません。子どもを勉強好きにしたいならば、親がそのような生活をしていなければなりません。

ただ、親が勉強好きでなくても、勉強好きになる子どももいます。それは好きな先生に出会えたり、勉強好きの友人に出会えた場合です。

勉強好き、向学心にあふれる人はよい友人を持つ、よい友人を持つ人は向学心を持つきっかけを持ちやすい、ということです。

では、「よい友だちを持つ」にはどうしたらよいのでしょうか。

私は、約60年人生を歩んできて、その答えとなるある人間関係の法則を発見しました。

その人間関係の法則は、よい友だちを持つためには、勉強嫌いな人、仕事のできない人、悪い人とはつき合わないほうがよい、ということです。

当たり前のことだと感じると思いますが、どんなにあなたが勉強をし、仕事をがんばっても、つき合うべきでない人と一緒にいることは、すべてを台無しにしてしまうほどの危険性を持っています。

もし、つき合うべきでない人と親しくしているとすれば、一刻も早く、その人と離れたほうがよいでしょう。そして、そのことで良心を痛める必要はありません。

あなたは勉強することによって力をつけ、より多くの人の役に立つ存在になるわけです。自分がつき合うべきではない相手には、その人自身が気づくまで、遠くから見守るだけで十分でしょう。

私は何人もの方から、同じような相談を受けました。

「友人や同僚、先輩の行動が許せない」「正しくないことばかりやっている」「つき合いが嫌になってきた」などというものです。

多くの場合、「まず、その場から離れて一人になって考えましょう。そして自分は勉強することで、実力をつけていきましょう」とアドバイスをしています。このようなアドバイスをして、本書に書いてあることも一緒にお伝えしたら、50人中48人、約95%の人が「勉強したくなった！」と話してくれました。

最終的には、勉強好きで実力を兼ね備えている人には、よい人が自然と集まります。

まずは、そのような意識の高い人たちに近づいて親しくなり、自分もレベルを上げていく、という心がけを持つのがよいでしょう。

POINT

- 勉強が好きな人とつき合うと、自然と勉強する習慣が身につく

14

おいしいとこ取り勉強法

最も上達が早い勉強法として、尊敬する人、できる人のマネをすることを紹介しました。
また、勉強好きの人に近づくことなどもオススメしました。

さらに、〝おいしいとこ取り〟ができる勉強法として、できる人が参加する「勉強会」があります。最近ではオンラインサロンなんかもあります。参加メンバーの質が高ければ、あっという間に自分も一流のレベルに引き上げられます。

勉強会のよいところは、一つには、「できる人の勉強法を参考にできる」ことです。

二つ目は、「自分も負けていられない、とにかく早く近づかなくては」と努力する姿勢が身につきます。さらには、メンバーが強引に上のレベルへと引き上げてくれることもあります。

この方法は、各種試験の勉強にも使えます。一人だと、いつの間にか方向を誤りがちですが、何人かでチェックし合うと修正できます。それに、優秀な合格経験者が指導者になってくれるため、ムダな勉強が省けるようになります。

こうした勉強会は指導者がキーポイントとなります。ちなみに、なかなか自分にとっての適任者が簡単には見つからないことから、規模が大きくて人材が多い予備校や塾が繁盛しているのです。

今は著名な学者や評論家、作家の方々でも、若い頃はこうした勉強会を繰り返ししたことによって、現在の地位を築いてきた人が多くいます。

司馬遼太郎もデビュー前は、同人誌で勉強会をやっていました。彼は、30代前半の勉強会のおかげで、今の活躍があるといえるでしょう。

もちろん、彼らに資質があったのだと思いますが、勉強会の人脈がその資質を大きく花開かせてくれたのです。

まさに勉強会はおいしいとこ取りができるチャンスをくれるのです。

〝おいしいとこ取り〟ができる勉強会のルールを5つにまとめておきます。

第一は、力のある人に参加してもらうことです。全員が初心者ではいけません。まだメンバーの力がないときは、毎回第一線で活躍している人をゲストに呼ぶとよいでしょう。

第二は、欠席しないことです。一度欠席してしまうとズルズルと休んでしまい、そのうち参加しなくなるからです。

第三は、準備は真剣にしなくてはならないということです。これを欠くと、締まらない勉強会になってしまいます。

第四は、継続することです。まさに継続は力なりです。

第五は、勉強会の中で気が合う人や、考えている方向性が近い人がいれば、一緒に勉強会を主宰することです。

第五までできれば、あとは勝手に自分の考えに近い人が集まってきます。

そうすれば、次第に人脈は広がっていき、自分の必要としている人ともつながることができるでしょう。

POINT

- できる人が参加する勉強会に参加する
- その勉強会で友だちを探す

15

大人の勉強には「話を聞く力」も必要

人間関係で悩まない人はいないでしょう。

私たちの悩みの9割以上は人間関係といわれています。どんなに偉い宗教家でも、どんな大富豪でも悩まないでいることは難しいようです。

ローマ、バチカンにおける人事抗争の歴史や、日本を代表する宗教家であった最澄（さいちょう）と空海も、お互いの関係、あるいは弟子たちとの関係で悩んだといいます。

最澄が最も期待していた愛弟子の一人は空海のもとへ行ってしまいました。最澄も随分苦しんだことでしょう。

とはいうものの、人間関係をうまく活かせることは、幸せな人生を過ごすうえで絶対に求められる要素です。人間関係が良好だといろいろなことを教えてもらえます。

一口に人間関係といっても、いろいろあります。仕事上での人間関係、家族関係、友人関係、男女関係などさまざまです。それぞれに違った側面もありますが、共通する面もあります。共通しているのは「人の話を上手に聞く力」と、相手にうまく「質問する力」が必要だということです。

まず人の話を聞くというのは簡単なようで、意外と難しいものです。人は自分の興味がないことをずっと聞き続けられるほど、忍耐力はないからです。

学校の授業を思い出してみるとわかるでしょう。好きな先生、好きな科目のときは集中して聞くことができます。そうでない場合は、別のことを考えたり、眠ってしまったりします。

実は私もすぐに眠ってしまうほうでした。しかし、自分が人前で講演などをするようになって、目の前の聞き手が自分の話を聞いてくれなかったり、眠ってしまうと、こんなに不快で、気分を害することはないのだとわかりました。

逆に、真剣にあるいは面白そうに話を聞いてもらえると、うれしくなるのはもちろん、それによって話すことが楽しくなります。

だからこそ、話を聞く力を身につけなくてはならないのです。**相手を気持ちよくさせる話の聞き方ができる人は、人間関係も抜群によくなり、いろいろなことを学んでいけます。**

基本的な話を聞く態度としては、次の5つに集約されます。

①相手の目を見る
②タイミングよく相づちを打つ
③笑顔（笑みを浮かべ、話の内容に応じて驚いたり、声を出して笑ったりする）
④背筋を伸ばしたほうがよい（ただし、親しい間柄ではリラックスした姿勢）
⑤メモをする（相手に応じてする。メモを嫌がる雰囲気のときはしない）

では、とてもつまらない話をする人がいて、困惑してしまったときはどうしたらよいでしょうか。それは質問をしていくことで切り抜けます。

そもそも、質問する力というのは「会話を生きたものにし、相手からたくさんのことを学ぶことができ、相手を気持ちよくさせる」という一石三鳥の力を持つすぐれものです。会話をよりよくするためにも、質問する力は欠かせません。

面白くない、わからない話をする人にこそ質問をし、こちらの勉強の対象にするのです。いつも問題意識を持ってさえいれば、抱えている質問をあれこれとぶつけられます。また、問題意識をさらに強めることにもなります。

面白い話をする人、尊敬している人に対してはもちろん、この質問する力はさらに有効です。質問は多くのことが学べる手段なのです。

POINT

- 人間関係が良好だといろいろなことが学べる
- まずは、質問する力を身につけよう

16

得意なもの、好きなものをつくる

勉強して、すぐにすべてのことに強くなろうと思っても、それは難しいでしょう。意欲に満ちあふれていても、一向に結果が見えず、「やっぱり、やーめた」なんてことはよくあることです。

すぐに結果は出ないものです。

勉強習慣がないのに、自分が苦手なもの、嫌いなものから勉強を始めたら、どんな人でも絶対に続きません。

そこで、オススメするのが「得意なもの、好きなものを一つ見つけ、それを徹底的に攻略していく」という方法です。はじめからいろいろなものに手を出してはいけません。

以前に、仕事における専門性の大切さを述べましたが、趣旨は同じです。

「一つずつ」は、実は友人関係にも当てはまります。あるいは、いわゆる人脈と呼ばれるものにもいえます。友人は一人ずつ増やしていくのです。

友人がたくさんいることを自慢している人もいますが、たくさんいるとつき合いも浅いのかもしれません。だから、人脈も一人ずつで大丈夫です。

自身にとって役に立ち、刺激的で、人間的にも合うという人はそうそういるわけではありません。時間をかけて着実に増やしていくしかありません。

一人ひとりを大事にしている人は、なぜか本当に役立つ人脈が増えていきます。

人脈が豊富であることを自慢している人でも、ここぞというときに支援してくれたり、アドバイスをしてくれる人がどれだけいるのかは、不明です。

一人ひとりを大事にしていくことが、後々の人生で大きな実を結ぶことにつながるのです。

勉強に関してですが、私の友だちの子どもにこんな例があります。成績が悪くて学校嫌いな子どもがいました。この子は何に関心があるかというと猫にだけ関心がありました。野良猫をいくらでも拾ってきます。

ある日、英語で書かれている猫の雑誌が落ちていました。その子どもは目をかがやかせて、その雑誌を拾って見入りました。子どもは英語がどんどん読めるようになりました。子どもが、猫に関する英語ならどんな英語でも読めるようになるまで時間はかからなかったのです。

この子の英語の成績は、クラスで一番になりました。一番苦手だった英語がクラスで一番になることで、子どもはすっかり自信がつきました。

その後、数学もクラス一になり、その他の教科もぐっと伸びました。

ちなみに、この話にはオチがあり、その子どもは東大の法学部に入学したそうです。

このように、自分の得意なもの（好きなもの）を忘れずに、コツコツと学び強化してい

くと、他のものにまで影響していくのです。

自分が好きなことをしていると、自分では努力していると感じません。ただ好きだからやっているだけと感じるはずです。そうなれば、こっちのものです。それをとことんまで追求していけばよいのです。

POINT

- 自分の好きなことを追求する
- 好きなものだと努力とは思わない

17

いつの間にか収入が増えてしまう逆説的生き方

ビジネスの世界に足を踏み入れてから30年弱ですが、人生でいくつかの重要なことを学びました。その一つに、**自分の給料・報酬についての態度で、その人の将来が見えるということがあります。**

だれでも給料・報酬は1円でも高いほうがよいに決まっているでしょう。自分の給料・報酬はもっと多くてもよいのではないか、と思っている人がほとんどではないでしょうか。

ところが、中にはまず自分の仕事の能力やスキルを上げて、成果を生むことに最大の価値を置いている人がいます。このようなタイプの人も、決して報酬は少なくてよいなどと思っているわけではありません。

しかし、報酬以上に自分の価値を高めることが重要だと考えているのです。

「いくら会社が支払ってくれるのか」などとクドクドと言わないのです。このような人は自然と実力がついてくるので、放っておいても会社は報酬のレベルについて考えてくれるようになります。

プロ野球の世界では年俸がその人の実力を示すということもあって、年俸の額にこだわる選手が多くいます。交渉でも大モメする場合もあります。

私見ですが、このようにお金でモメている選手は超一流にはなれません。

大谷翔平選手は、「いくら欲しい」などと、お金のみに執着するようなことは言わないでしょう。彼は結果を出すことにすべてを集中し、あとは球団が評価してくれ、という態度です。

ビジネスの世界でも、一流、ワンランク上のレベルを目指す人は同様です。一流のヘッドハンターによると、「お金の額で動く人で成功した人を見たことがない。自分の能力をていることを言っています。

どれだけ活かせるか、伸ばせるかを第一に考えている人ほど成功する」ということを言っています。

以上のことは私の持論でもあったのですが、10年前にエルバート・ハバードの言葉を知ったときは、「まさにそうだ！」と思わず膝を打ちました。

「この世では、ある一つのことに、富についても名誉についても、大きなごほうびを与えてくれる。それは、積極的に取り組むということである。何に積極的に取り組むのか。教えてあげよう。それは、人に言われることなしに、自ら、正しいことをすることにである」（『ガルシアへの手紙』／角川文庫）

おそらく、すぐれた経営者であれば、だれでも「まさにその通り」だと思うでしょう。

逆に、このようなワンランク上のビジネスマンを見抜けないトップ、そして正しく報酬を与えられないトップは、その力量を問われることになるのです。

やはり、組織はトップの資質で決まってくるというのは、古今東西の大鉄則です。

ワンランク上のビジネスマンこそが、将来のリーダーとなり得るのです。勉強もドラッカーが述べているように、生涯のビジョンが元にあります。

そのビジョンを決して忘れずに、勉強と仕事に自ら取り組んで、正しいと思えることを突き進んでいくのです、そうすれば、皆が認め、評価するワンランク上の、いや何ランクも上のビジネスマンとなるに違いありません。

POINT

- お金で動いてはいけない
- 何を学べるかで動くべき

18

尊敬する人のマネをする

最も早く勉強が上達する方法とは何かといえば、それはできる人のマネをすることです。

それも尊敬する人、好きな人であればあるほどよいでしょう。

「俺は、自分のやり方で上達してやる。俺ならできるはず」という何の根拠もない考えは、絶対に捨ててください。できたとしても、必ず遠回りになります。

マネをすることで自分が本当に伸びるのだろうか、と疑問に思う人もいるかもしれません。

これはあくまでも、勉強を上達させるための手段であることを忘れないでください。ある段階からは、自分の力で工夫して、「自分のスタイル」を創らなくてはなりません。

人気作家の一人、浅田次郎氏は「マネ」の効用について次のように述べています。

「まず過去の作家はすべて自分の先生だとまず思うこと。先生の教えを守るっていうのは、学問にしろ、スポーツにしろ一番最初にやらなきゃいけないことだろ。だから、そっくりになっていい。まねして構わない。ところが、ずっとまねしてるうちに、それを破る時が必ずくる。カラを割ったときに初めて自分の文体っていうのが生まれてくるんだ。そうやって生まれてくる文体というのは本物。だれのまねでもない」（『ダカーポの文章上達講座完全版』ダカーポ編集部編／マガジンハウス）

このように浅田次郎氏は若い頃から自分が気に入った文章を原稿用紙に書き写したそうです。川端康成、谷崎潤一郎、三島由紀夫などの著作で文庫本になったものはほとんど書き写したといいます。

これはスポーツでも、ビジネスでも同様に当てはまります。

天才と呼ばれる大谷翔平選手でも、中学・高校とずっとだれかのスイングをマネしながら上達していったのです。

美術評論家である高階秀爾氏の力作『ピカソ　剽窃の論理』によると、天才画家のピカソもマネがうまかったそうです。

また、齋藤孝氏もピカソについて『天才の読み方』の中で次のように述べています。

「真似る、盗む力というのも一つの技であって、やればやるほど上手くなっていきます。ですから、ピカソの場合、一人の画家の作品だけではなく、次々と色々な画家の作品を剽窃していきます。それぞれの画家のスタイルを模倣しつつ吸収していって、その創作の秘密を自らの身体で盗み取っていくのです。自分のスタイルをつくるためには、実際に前の時代の偉大な画家が行った作業自体を自分もやってみる、つまり模倣することが一番の早道です。ピカソの場合、まねる、盗むということを、意図的に、積極的に手法として活用したということです」

受験勉強の方法でもテクニックでも、自分の近くにいる成績のよい人のやり方をマネするのが成功への近道の一つです。

「マネる」ということは、先人のよいところ、他人のよいところを「マナぶ」ということです。それは、一番有効な勉強方法であるといえます。

そのときに大事なことは、マネをする相手に敬意を払い、感謝することです。

そうして、オリジナルな自分を創り出し、他人にマネされるくらいの存在になっていきたいものです。

POINT

- できる人をマネてみる
- マネることが一番の勉強法

19

教えることは教わること

「勉強の成果が確認できるのは、人に教えるときである」ことは、昔からいわれてきました。つまり他人に教えることは、自分もわかっていないとできないということです。

私も塾の講師をしていたときに、初めて受験勉強のコツがわかった気がします。なるほど、こういう意味だったのか、出題者の意図をこう読むのか、ということが人に教える経験を通して見えてきました。

また、初めて大学で「文章の書き方」で講義を頼まれたときも、最初は「私に文章の書き方や本の作り方を人に教えることができるのだろうか」と思っていました。それでも挑戦することで、人に教えると同時に、さらなる自分の文章上達の機会になりました。人に文章を読んでもらえる文章を書く難しさを、この文章教室で思い知らされました。

この講座で毎回課題にしたのが1000文字の文章を作成することです。受講された方々は学校の先生や社長、TOEIC講師、公務員、学生、主婦、フリーターなど多彩な顔ぶれでしたが、文章を書くことを通じて、自分の理解していないところ、気づいていなかったところがはっきりわかったと述べていました。

この講座以前から、相手に伝わる文章にするには、書きたいことを十分に理解していないと難しいとは思っていました。

このときに、読んでもよくわからない文章というのは、書いている人さえわかっていないことが多いと改めて痛感しました。

映画について何回か雑誌に書いたことがあります。映画を文章にすると、自分が単に「面白い」や「つまらない」と口にするには、どこをもってそういえるのかを、具体的な根拠を示すことが重要だと気づきました。自分が感じたことには、やはり理由があるのです。

これは、もちろん、映画評論家のようにプロとして評論を仕事にしていない人には面倒な作業です。ただ、映画評論家風に自分で文章にしてみると、映画に対する視点も一味違ったものになってくるでしょう。気づくことも多くあり、勉強になるはずです。

講座のときの課題のように、1000文字程度の文章にしてみる作業を勉強の過程で取り組むことは、理解度を高めるのに大きく役立つことは間違いありません。

ただ、1000文字程度でも、文章を書くというのは、最初はかなりの労力と時間を要します。最もよいのは習慣にしてしまうことです。

そうすれば、すぐに30分くらいで書けるようになるでしょう。ブログやSNS、noteなどに書き込んでいくという方法もあります。せっかく勉強していることを形に残しておかない手はありません。

勉強の種類（文章作成や資格試験など）によっては、noteで有料公開するのもオススメです。この場合はきちんとノウハウになっていないと購入してもらえないため、上級者向けになります。

文章にすることの効果については、ドラッカーも力説しています。文字にして明確にすることで、目標が達成されるかどうかが大きく違ってくるのです。

目標とそれまでの経過チェックを文章にすることが、自分に対する強いコントロール力やコーチ力となってきます。また、文章にすることで自分をある程度客観視することもできます。

勉強や努力の方向を間違えないようにすることが、大人の勉強にとってとても重要なことです。

POINT

- 自分がきちんと理解していないと、人に教えることは難しい

20 アイデアと企画力の決め手

大人が勉強する目的の一つに、やはり役に立ち、お金を儲けるために勉強するということがあります。純粋に人格形成や素養のためにする勉強も大人の勉強の特権です。しかし、お金を儲けることは決して悪いことではありません。人が喜んでくれるものを提供することによってお金を出してもらえるわけで、そのお金が動くことによって社会が回るからです。

多くの人が喜び、お金を出したい、買いたいというものを企画する力、アイデアを出せる力があるということは、現代の情報資本主義社会では、賞賛されるべきことなのです。

勉強することで、これらの力をつけることができたならば、それはワンランク上がったといってよいでしょう。今まで述べてきた勉強法のすべては、まさにこのアイデア力・企画力の増強のためのものなのです。

ここでは、よりわかりやすくアイデア力・企画力を身につける方法を具体的に説明します。

まず、**ヒット商品を出している人や売れるものをたくさん生み出すチームや会社に近づいてみます。**知り合いの紹介があれば一番よいのですが、なければ訪問してみます。

企業秘密を教えてくれるわけはないでしょうが、何らかのヒントやにおい、雰囲気はつかめます。いずれ、知り合いになれたら最高です。

近づいてみたら、商品のマネをした企画を自分で創ってみます。

これは、練習です。これを繰り返すのです。そのうち、ヒットメーカーが次にどんな作品を出すかが読めるようになれば、あなたの力は相当なレベルになっています。

次は、自分でどんどん企画書を書いてみることです。毎日書くのです。アイデアもどんどん出してみます。井戸の水は汲み続けないとあふれてしまいます。

実際に、自分のアイデアや企画で勝負してみます。

とにかく結果がすべてです。売れることにこだわらないと、成長はありません。

たくさん勉強して力をつけた人でも結果が出ないことがあります。ここで、いろいろな言いわけをしたくなります。

しかし、言いわけをすると、ずっとそのまま成長せずに終わることにもなりかねません。あくまで〝結果〟にこだわることが大切です。この〝売れる〟という結果を出し続けられるように、勉強を続けるのです。

勝ちぐせは最高の教師です。何としても勝つことを経験し、勝ちぐせをつけるのです。勝ちぐせがついてきたら、自分の本当の力をつけることを目指します。オリジナリティを出すためにです。自分の目と耳と足を使います。歩く、見る、聞くという作業を怠ってはいけません。

読書し、思索し、文章を書くという日々の訓練をやめてはいけません。

　こうして、他の人が目標とするような、一目置かれるビジネスパーソン・ヒットメーカーになるための企画力を身につける勉強法が効率もよく、結果が早く出る方法の一つです。
　世の中には天才と呼ばれる人がいます。天才は模倣し、そのうえでオリジナルを創り出したのです。模倣した対象を超えるのが天才です。ピカソしかり、モーツァルトしかり、大谷翔平しかりです。

私たちの勉強の成果は、そのほとんどが先人たちの成果の上にあるのです。このことは常に意識しなくてはいけません。最終的に目指すのはそのような境地です。

POINT

- まずは売れているもののマネをする
- マネして勝ちぐせを身につける

第4章

勉強に必要な記憶と読書

21

絶対に身につけたい記憶力

大人の勉強は、自分を活かし、どんな状況でも勝ち抜く力をつけるためにやります。しかし、楽しくやりましょう。

楽しくやることで脳が活性化し、記憶が定着しやすくなることも証明されています。「楽しい」と感じることはストレスの軽減にもつながります。

勉強をする上で、暗記は重要ではないと考える人もいるかもしれません。しかし、やはりすべての勉強の基本が暗記であることに変わりはありません。暗記力は幼いときから、そして何歳になっても鍛え続けなくてはいけません。

私が最初に「暗記は重要」だと思ったのは、塾講師をしていたときです。

小人数制のクラスだったので、一人ひとりの学力をきちんと把握しながら指導できました。中学三年生のある男の子が、まったく勉強に対する意欲がなくて困ったことがありました。どうしたものかと悩んでいたとき、その子がまったくといってよいほど、教わったことを覚えていないことがわかりました。

英語でいえばbe動詞の変化さえ覚えていません。まず覚えてもらおうと、半年くらい「今日はこれだけ」と繰り返し覚えさせました。まず暗記することの重要性と面白さを知ってもらうことにしたのです。

すると、半年ぐらいで日に日に学力がつき、目の輝きが違ってきました。何とか高校に入学することもできました。

一度学ぶ楽しさを覚えたことで、高校3年間ずっと学力が伸び続け、高校を主席で卒業することができました。

大ベストセラー『頭の体操』（光文社）で有名な千葉大学名誉教授の多湖輝（たごあきら）も次のように述べています。

「早い話、『ただの人』ではないわが国のノーベル賞受賞者、湯川秀樹、朝永振一郎、川端康成の各氏なども、子供時代に父親から、意味もわからない漢字や漢詩を暗記させられたそうです。何がどういうメカニズムで効果が発揮するかは別として、子供時代の記憶は消えるどころかその人の人生を大きく左右しているともいえるのです」（『学習力は丸暗記でつける』／新講社）

暗記は大人にも有効です。暗記には、興味や意欲の力が大きく作用します。

したがって、何歳になろうが、暗記力がある人は、人生や仕事にも意欲があふれているのです。

私は昔から、暗記力には自信がありました。しかし、暗記力を問われる英単語はそれほど得意ではありませんでした。

30代半ばから英語の勉強を再開したとき、徹底的に英単語を覚えました。すると、受験のときや学生時代より、ずっと英語に強くなっていたのです。これは、私自身が海外の仕事に燃えていたこともあります。英語の本も読みたいし、英会話もできたらと意欲にあふれていたことが大きいでしょう。

意欲があるから暗記できるともいえます。暗記するから意欲がでてくるともいえます。これはニワトリが先かタマゴが先かの関係と同じかもしれません。

POINT

- 暗記すると勉強の意欲が高まる
- 勉強をするには暗記が基本

22 記憶の秘訣

大人が子どもの勉強を見ていて感心するのは、暗記する力の強さです。

子どもの記憶力は一般的に大人よりも高いといわれています。これには大きく次の三つの理由があると考えられています。

①脳の柔軟性
②未知のものへの興味（好奇心が強い）
③繰り返しの学習

脳の柔軟性については、子どもの脳は成長途中であり、新しい情報を取り込むための神経回路が発達の途中であるため、記憶がしやすいとされています。

未知のものへの興味は、子どもは知らないことが多いため、大人に比べて、新しい情報に対する興味や好奇心が強いのです。これにより、覚えたい情報に集中できるので、記憶しやすいのです。

繰り返しの学習については、子どもは、学校や宿題などで繰り返し勉強する機会が多いので、情報が定着しやすい環境が整っているのです。

私も、実体験として、子どもは暗記力がすぐれていると思います。子どもというのは、初めて見るもの、知ることばかりですから興味津々で、真剣です。

だから簡単に暗記してしまうわけです。

息子とトランプの「神経衰弱」をやると、必死に大人の私を負かそうとします。私はそこまで真剣になれないためでしょうか、簡単に負かされてしまいます。

やはり、暗記力をつけるには、好きな分野から始めるのがよいということです。

よくワインの銘柄に詳しい人がいますが、それは相当のワイン好きだからこそできるのでしょう。

私はおいしいワインを飲むのは好きですが、どちらかというと食べるほうに夢中になってしまうため、ワインの銘柄や産地などの暗記は得意ではありません。

しかし、そんな私にも好きなことの中で暗記しやすいものがいくつかあります。たとえば、本のタイトルと著者名がその一つです。昔から本屋さんに行ったり、新聞広告で見たり図書館に行って眺めたりしているだけで、すぐに覚えてしまいました。

同じく野球選手の名前や経歴、往年の名選手の名前と成績なども暗記しやすいものの一つです。

次に暗記力をつけるために有効なのは、やはり繰り返すことです。

一度では記憶に残りにくいことでも二度、三度とやるうちに、覚えてしまうことができます。英単語はこうして覚えるとよいことはよく知られています。

記憶は繰り返すことで強化されていきます。また子どものときのような、好奇心を持つことでも強化できます。

脳の海馬という部分は記憶をするときに重要なのですが、「生きていく上で必要」と判断したものだけを長期記憶として残してくれます。なので、繰り返すことで海馬を騙し、長期記憶に残していきましょう。

好奇心は、新しいことにチャレンジすることによって、大人でも高めることができます。行ったことのない国を旅行したり、新しい趣味にチャレンジしたり、英語を勉強して外国人と話したりすることで、子どもと同じように好奇心を持つことができます。好奇心を刺激したい人は試してみてください。

POINT

- 繰り返し学習して暗記することが重要
- 好きなものだと自然と暗記できる

23 具体的に記憶する方法

ここでは、より具体的に記憶する方法を紹介したいと思います。記憶をするにはコツがあります。そのコツさえ覚えてしまえば、暗記はそんなに難しいことではありません。

1 声に出して暗記する

声に出すことで理解も深まり、言葉のイントネーションやリズムが記憶する力を助けてくれます。また、この声に出して読むという方法は、自分で書いた文章をよくするためにも用いられます。

声に出して読んでみて、自分の脳が不快だという反応を示したら、それはよい文章とはいえません。脳には長年の文章体験がつまっているからです。

だから、名文を声に出して読んでおくことが、よい文章が書けるコツです。

また本当の名文は頭や心に染み込んでいき、繰り返し読んでいくうちに自分の体と一体化していきます。

また、音読にはさまざまなメリットがあり、記憶力を上げることはもちろん、語彙力の向上、発音の改善、コミュニケーション能力を高める、集中力を高める、などの手段としても有用です。英文も同様で、声に出して読むと暗記できるようになります。

2　紙に書いて暗記する

紙の上に書く、ということも暗記のためにはよい手段です。

子どもの頃、漢字を何回も書いて覚えさせられたことがあるでしょう。やはり、書くということは、体を使って記憶していくので、忘れにくくなるようです。

私は今でも、「いつか、この言葉を使いたい」などというものがあるとスマホのスクショを使い、その後、カードや手帳に書いて覚えるようにしています。そうしないと、すぐに忘れてしまうからです。

3 関連づけて覚える

最後に、上手な記憶のコツは、「覚えたいことを何かと関連づけて覚えていく」ことです。受験のときにゴロ合わせで歴史の年代を暗記した人も多いでしょう。

これもその応用です。

人の名前などは、関連づけをしつつ覚えると記憶に残りやすくなります。私は人と会ったとき絵画や写真のようにその状況を一枚の絵や画像として頭に焼きつけ、そのまま覚えるようにしています。

すると、だれと一緒に会った人か、どのような話をしたかまでつなげて覚えられるようになります。

人の名前をよく覚えていることは、よい仕事をする上でも大切なことです。すぐれたビジネスマンは、すぐに会った人の名前を暗記するといわれています。

すぐに人の名前を覚える人というのは、仕事にも人生にも意欲的であり、だからこそ他人に対しても興味や好奇心が尽きないのです。

まずは、暗記力を強化して勉強にも人にも強くなりたいものです。

POINT

- 声に出したり、文字を書いたり、五感を使って勉強することが大事

24

精読法

ていねいに、ゆっくり読むのは、本を読む醍醐味の一つです。

好きな本を、じっくりと、楽しみながら読むのです。一語一語、一文一文、味わい、意味を考えて読むのです。あるときは、前のページに戻ることがあってもよいでしょう。著者がその本で言いたいことと、その心を、文章と行間から読み取るのです。著者とある意味で一体となるのです。

あるときは、著者が自分なのかという気分になるかもしれません。

本にリズムがあるのは確かです。しかし、そのリズムをわかったとしても、その上で、精読し、ていねいに、じっくりと味わってもよいのではないでしょうか。

精読する本の中には、学校の教科書や、研究するテーマの基本書のようなものもあるかもしれません。これは、精読の中でも、ちょっとしんどいものです。

じっくり楽しみながら、というわけにはいかないかもしれません。

こういう本を読むときのコツは、時間を決めて読むことです。決して一日中読まないことです。間に読みやすい気楽な本を入れたり、音楽を入れたりするのです。

もう一つのコツは、とにかく意味がわからなくても読み切ることです。そして目次や全体を把握してから、2度目を読むのです。2度、3度読むと、だいたい、慣れてきて、意味も取りやすくなります。この場合は、他のことに浮気せず読み進めてください。

ほかのテキストのほうがよさそうとあれこれ読むよりも、一冊の教科書を何度も読むほうが効果的です。

話を戻しますと、本来の精読は、好きな本をじっくりと、ゆっくりと、自分のものにしつつ読むことです。著者と自分と本とが一体となることです。

精読と聞くと、難しくて嫌な感じがするかもしれませんが、要するに、じっくりと自分が納得いく読書をすることです。読書といっても、本を読む習慣がない人はマンガから試してみてもいいと思います。

特にオススメなのが、『ONE PIECE』（尾田栄一郎／集英社）です。

「神は細部に宿る」

これは『ONE PIECE』を読んでいると本当に感じます。素晴らしい作品を残す人というのは、細部もおろそかにしません。その姿勢が、構成や説得力を生むのだなといつも感心しています。

何度読んでも新しい発見があるのです。

読書をする習慣ができ、ある程度、精読に慣れてきたら、同じテーマで読み比べをするのもオススメです。**同じテーマに関する本を何冊も読み比べていくと、自分の読書力が相**

当に上がります。

これによって、自分がどんどんそのテーマに関して知識が深くなっていくのを体感できるはずです。

POINT

● 著者と自分と本が一体になる感覚で、じっくり、ていねいに読んでみる

25 速読法

速読は、目的をもってやる読書法の一つです。

その目的は、①短時間で知識、多くの情報を吸収する、②探している知識、情報を早く見つける、③集中力をつける、脳を刺激する、④たくさんの本を読んだという実績を作る、などです。

読書の醍醐味は、精読をするか、自分と本のリズムで読み進めるかのどちらかです。ですから、速読法、速読術といわれるものは、強い問題意識と目的意識があるときにやるものです。

では具体的にどうやるのか。速読法にはいくつか方法があります。

一つ目は、キーワード法です。

まえがきと目次をしっかりと読み、その本が持っている、そして自分の中にあるキーワードに着目して、すばやくページをめくっていきます。見つけたページをしっかりと確認します。これで、だいたい、その本の内容がどんなものかわかります。

キーワード速読法を別名、「エッチ本読み法」という人もいます。

女性の方や20代の人にはピンと来ないかもしれませんが、途中ストーリーを飛ばし読みしていき、キーワードで盛り上がっているところ、濡れ場、ポルノチックなところ、すなわち、おいしいところを的確にちゃんと読んでいくという手法です。強い強い目的意識が可能ならしめるテクニックです。

二つ目は、いわゆる写真読み法です。これは、自分の目をレンズとして、脳をフィルムとして、ページを写し取るように読む方法です。

膨大な資料に短時間で目を通し、必要な部分を記憶してしまうには、この方法がおすすめです。

そして、三つ目は、私が最も得意とする速読法で、逆読み法というものです。うしろから前へページをすばやく読んでいきます。まず結論を知り、根拠を読んでいきます。さっと読んでしまうという方法です。

とてもよい内容のときは、時を改めて、最初からじっくり読み直します。

これらの速読法は、前述のように強い強い問題意識が必要です。

また、ふだんの精読の継続がこの能力の基礎となります。どんな速読法でも、この精読の積み重ねが求められます。必要に応じて速読をやってみるのも、有意義だと思います。

私たちには、仕事をして帰宅しても、見たいYouTubeやNetflixがあったり、友だちとSNSをしたりと、やるべきことがたくさんあって時間が足りません。

読書に充てられる時間はそんなにありません。

速読は、自分の読書生活をより充実させるための手段です。

速読を目的にしてはけません。このことを、はっきり意識していないと本末転倒なことになりますので、ご注意ください。

POINT

- 速読はあくまでも手段
- 目的をしっかりと決めて試してみる

26 立ち読み法

「立ち読み法」は、読書人のごほうびの一つです。これにはいろいろな効果があります。なによりも、本に詳しくなります。本を見分ける（自分に合う、自分が求めている、自分のためになる）能力が増します。

紹介した読書の方法を自在にあやつれるようになるためにも、立ち読みの繰り返しは大いに役立ちます。さらに立ち読みですから、歩いて、立っての連続で、下半身強化の上に脳を刺激します。

最近入院して知ったことは、人間の体のすべては、立って歩くことでよく機能できるということでした。

多くの著名作家が、アイデアや構想を考えるためにすすめているのが歩くことであるのも納得いくところです。立ち読みこそ、このためにも重要な方法といえます。加えて、**書店には意識の高い、そして感度の高い人が来るので、書店にいると、時代の動きをいち早くキャッチすることができます。トレンド読みも次第に上手になることでしょう。**

では、立ち読みの際のテクニックをいくつか挙げます。

一つは、書店は大中小をうまく使い分けます。大型書店は、品揃えも多く、多くの刺激を受けます。また、知らない本を発見する喜びもあります。最近は机とイスを用意してくれているところもあり、便利です。

中型書店は全体を見回しやすくて本全体の動きを知るのによいと思います。ベストセラーの動きも自分でチェックできます。

小さな書店は時間がないときに、雑誌や文庫をさっと見たりできますし、品揃えに工夫してあるところもありユニークです。

立ち読みの原則となる目的は、自分が買う本の予備的探索ですから、全部読み切りをするのではなく、さっと読み、よい本か否か、買うべき本か否かの判断をするくらいにします。

立ち読みは、書店にとっては見込み客です。しかし、行きすぎたり、マナーの悪い人には、当然イヤな顔をします。

ページをめくる前に手をきれいにしておき、めくる際もやさしく扱いましょう。

読むときは、マナーとして次の五つのことに気をつけましょう。

①平積みの本、面陳（棚で表紙を前にして重ねてあること）の本の場合、一番上、一番前のものにすること
②読んだ後は放り投げないこと
③カバンを本の上に置かないこと
④オビなどを破らないように注意すること
⑤本を探している他の人の邪魔にならないようにすること

立ち読みの効果を上げるために、ふだんから新聞広告や、書籍目録などに目を通しておくのもよいでしょう。

また、ルールとして、基本的にはよく本を買う書店を一番利用するようにしましょう。書店も読者も、実りある〝立ち読み〟として、大いに活用したいと思います。

POINT

- 立ち読みはルールを守って行う
- いろいろな本を立ち読みしてみよう

27

まわし読み法

本を読むのは自分のためです。

読書をする目的や生活の中での読書の位置づけは一人ひとり違うものです。その人の人生が違うように、読書の捉え方も一人ひとり違います。

本を読んでいると、他の人にも読んでほしいと思うような一冊と出会うこともあるでしょう。そうして薦めた本を「読んでよかった」と言ってもらえたら、こちらにとっても幸せに感じたり、その本の内容のことを互いに話せたりして、本を読む意義がさらに増すことがあります。

私は小さいころから、親や友だち、近所のお兄さん、親戚のおじさんたちから、たくさんの本をもらったり、貸してもらったりしました。その本を読んでよく語り合ったりもしました。

中学、高校、大学でも、面白い本は、みんなで貸し合ったり、回したりして、日常会話のテーマになっていました。

みんなで同じ本を読むと、いろいろな読み方やとらえ方があってとても勉強になりました。

若いときほど、こうしたある意味真剣な、言い換えれば、青臭いつき合いも、よいものだと思っています。

時には熱い議論や口論になることもありましたが、そうなるのは、まれにしたいものです。ケンカのために本があるわけではないからです。あくまでも刺激し合うのが目的です。

こうした本を貸し借りした友人たちとは、今でも不思議な〝友情〟が続いています。

〝心の友は本の友〟とでもいうのでしょうか。

若いころは、本をもらったり貸してもらったりすることが多かったのですが、最近はプレゼントすることもたびたびです。特に自分の本はどんどんもらっていただいています。読んでいただくことの喜びに勝るものはありません。自分の本でなくても、とてもよかったと思える本は友だちにプレゼントしています。
そんなにたくさんはできませんが、本をめぐる交流もよいものです。

ただし、押しつけるのは厳禁です。

家族でも、「これ読むように」と言うと反発されるだけですから、本棚に置いておくとか、「これ面白かったよ」と言う程度がよいでしょう。そうしておくと、何かの機会に読んでくれるかもしれません。

本を読んで、自分で理解しても、なかなか口に出して説明できるものではありません。自分の考えを伝えたいときに、本をプレゼントして、その上で、話をしたりすることもとてもよいと思います。

読書は、自分の心との対話ではありますが、他人との心の対話のきっかけにもなります。

村上春樹氏の『ノルウェイの森』が1000万部も売れたのは、友人、恋人同士でプレゼントとして使われたものも多かったと言われています。

私の本も、そんなふうに使ってもらえると嬉しいです。それにふさわしいと思われる本を書きたいものです。

心の恋人をつくるためにも本のプレゼントはいいものです。ぜひ大切な人に本をプレゼントしてみてください。

POINT

- 自分の好きな本をプレゼントしてみる
- 本をめぐる交流を大切にする

28

積ん読法、棚読み法

「積ん読」とは、本を買ったまま、机の上などに積み上げておくことです。それを「読まなきゃなぁ」と思いつつ、なかなか読めていないことを言います。

「積ん読」は、よくないという見方もあります。

しかし、私は、これも大事な読書だと思います。

本を買って読もうと思うのは、その人の問題意識の強さです。この問題意識こそが、読書の意味をあらしめるのです。逆に、「積ん読」をしない人は少しヤバイです。本を活用できなくなるおそれが出てきます。

また、本は意外に早く世の中から消えます。図書館には一冊ぐらい置かれる可能性もありますが、全部の本ではありません。自分に必要と思われる本は、とりあえず買って「積ん読」しておくべきでしょう。

いつか、本当に読みたくなったとき、読まざるをえなくなったときのためにも、この「積ん読」法は、意味あるものなのです。

また、私がよくお世話になるのが、「棚読み法」です。

考えが詰まったとき、気分転換したいとき、迷っているとき、悩んでいるときなどに、棚に並んだ本をジッーと眺めるのです。すると、まだきちんと読んでいない本の中から、背表紙の本のタイトルが、ひょいと目に飛び込んでくることがよくあります。

そして手に取って、パラパラとめくる。ピンとくる。「あっ、これだ！」という文章を見つけたりします。

本を買ったときに、ざぁーっと読んでいるのが潜在意識のどこかにいてくれて、こんなときに、本を呼び込んでくれるのでしょうか。

私がこうして本を書けるのも、「積ん読法」と「棚読み法」のおかげと言っても過言ではないと思います。

もちろん、本をじっくりと読むこと自体の喜びも大きいのですが、その際にも、ふだんの自分の意識や精神を高めることができ、必要なときに必要な本を選べることを可能にしてくれる「積ん読法」と、本棚があってこそです。

私は「積ん読」や「棚読み法」には、他にもいつくかのメリットがあると思っています。

一つ目は、過去に自分が選んだ本を見ることによって、そのときに何を考えていたのか、どういう気分だったのかということを思い出すことができます。

二つ目は、読んでいない本がたくさんあることで、そのときの気分や興味に合わせて本を選ぶことができます。

三つ目は、先ほど文章を書くときに役立ったという話をしましたが、これは文章だけでなく、アイデアや企画を考えているときにも役立ちます。何となく積んである本を手に取ったら、良いアイデアが思いついたといったこともよくあります。これは、脳が刺激を受けて、創造性を高めてくれているのだと思われます。

このように、「積ん読」「棚読み法」にはメリットがたくさんあります。

ただ、本が増え続けて収納する場所がない、本を買いすぎてお小遣いがなくなる、本を買いすぎだとパートナーに怒られる、などの問題が発生することもありますので、自分の懐具合などを考えてお試しください。

POINT

- 「積ん読」にもメリットはたくさんある
- とりあえず、気になった本は購入してみる

29

場所別読書法

読書の効果を上げるためには、「場所別読書法」の実践がカギとなります。一つは読む本を多くするという効果、もう一つは、いろいろなタイプの本を楽しめるという効果です。さらに言うと、日々の知的生活を豊かにしてくれます。

外国語に強い人たち、それもいくつかの言葉を習得している人たちは、どうしても覚えるべきものが多いため、ある場所、ある時間に集中的に読書をするとよいと言われています。

ある場所とは、通勤電車内です。混雑のためページを自由にめくれず、しかもキョロキョロできない空間の最高の利用方法というわけです。しかも、1年、2年と続けると効果は絶大です。

作家の方の中には、タクシー内を利用する人もいます。文章や言葉を暗記するのに最適だというのです。筆の進みが遅いとき、そのためだけにタクシーに乗るので、お金がかかるというのが難点です。

喫茶店をうまく使う人も多いでしょう。そこで原稿を書くという作家も多いようです。的確な雑音が集中力を上げ、執筆が捗るのです。

読書の場合は、気軽なエッセイなどが向いているかもしれません。

場所別読書法で重要なのは、大きく三つの場所があります。

一つはベッド、すなわちフトンの中です。寝転がって読まないと読めないという人も多いようです。一番楽な姿勢で、自由なスピードで読めます。

フトンの中というのは、寝る以外にもホッとさせる癒やしの効果も併せ持つようです。

最近は、便利な読書灯もあるため、さらに重要な読書の場所となってきました。

難点は、書き物がしにくいところですが、近くにペンとメモ帳を置いておき、気になればチェックしておいて、後できちんと書くというのがよいと思います。

フトンの中では、寝入る際に読む本のジャンルが重要という方もいます。

というのは、人は寝入るころのイメージを、潜在意識にたたき込みやすいからというのです。そうすると、気分よく目覚め、かつ、向上心を日ごろ発揮するためには、心にしみる本や、心おだやかになる本、前向きになれる本などがおすすめです。


二つ目の重要な場所は居間、リビングです。テレビなどが置いてあったりして、くつろげるところです。好きな音楽などを聞きつつ、小説を読んだり好きな作家の本を楽しんだりしながら読むのが理想です。


三つ目の重要な場所は自分の机、あるいは図書館の机です。速読をしたり、書き物をしつつの読書には最適です。集中型読書の場です。

これら以外でも、時に有効、あるいは便利な場所、気持のよい場所というのがあります。天気のよい日の公園や、ゆったりとして入るときのお風呂などです。

トイレの中こそ最高という人もいるでしょう。私は公園で詩集を読むのが好きです。

最後になりますが、旅行中の読書というのがあります。飛行機や電車の中、旅館、ホテルの中での読書です。

特に、その土地ゆかりの作家あるいは作品を読むのは格別です。思い出とあいまって、ひときわ、精神を活性化し、豊かにしてくれるのです。余白に、その都度自分の思いを書き入れておくのも、一生の宝となるのではないでしょうか。

読む場所を変えて、読み方や読む本を換えると、あなたの知的生活も豊かなものになるはずです。

POINT

- 読む場所やシチュエーションで、読み方や読む本を換えてみよう

30 時間別読書法

「時間別読書法」とは、「場所別読書法」につらなるものです。

もう少し、「場所別読書法」について、視点を変えて論じてみましょう。

一日の中での読書時間を考えると、早朝、出勤時（登校時）、仕事前（授業前）、待ち合わせ、昼休み、仕事後（放課後）、寝る前などに分けることができます。

本を読む人の中では、早朝読書をすすめる人が多いようです。特にビジネスマンや主婦は、この時間を活用して本を書いたりする知的生産活動をする方も多いと思います。

習慣を身につけるには、コルチゾールというホルモンが関係します。コルチゾールは午前中に多く分泌されることがあきらかになっていますので、午前中に読書を続けると、比較的すぐに読書が習慣化されます。

ものを書く方は、早朝型か深夜型に大きく分かれるようです。まとまった一人の時間をつくる必要があるからです。

最近は、学校で朝の読書運動をすすめているところもあるようです。朝、まずは自分と対話をしたり、脳を動かす習慣をつけることは大事です。これは一生の財産となるでしょう。

朝は、まだ頭も体も疲れていませんから、思考したり、集中したりする必要のある本が向いていると思います。

ただ、朝は体質的に弱いという方は、新聞を読んだりして、一日の準備運動に入るのもよいでしょう。こういう方は、夜が貴重な時間となってくるはずです。

これに対して、夜は、仕事や人間関係で疲れているので、軽い読みもの、推理小説をBGMを聴きながらというのもよいと思います。気に入った詩を読むというのもよいでしょう。

私は、ある時期（数年間）、仕事前の30分間から一時間をビジネス書、自己啓発書の読書時間に充てていました。これはとてもよかったと思います。

それまで小説ばかり読んでいた私が、こうして、違った分野を意識的に読めるようになったからです。

私が今こうして本を書けるようになったのも、ほとんどそのおかげです。

もう一つ時間を基準にした場合、休日の読書というのがあります。

休日こそ、忙しい現代人にとっての、至福の読書タイムです。もちろん、旅行や古本屋めぐりもよいでしょう。そのときにも読書の時間を必ず入れたいところです。

じっくりと、自分の人生や生き方を見つめたり、好きなことをしつつも、本を手離さずにいたいものです。

余暇と遊びと読書もよく合うと思いませんか。

こうした、時間をうまく使った読書というのが、長い人生を一歩一歩、自分のものにしつつ、前進させていく最良の手段ではないでしょうか。

POINT

- 時間によっても本を換えてみる
- 時間が変わると感じ方が変わる

第5章

ワンランク上の勉強法

31 ドラえもん教材に学ぶ

最近つくづく、これからの時代は義務教育ではなく、自分で好きなものを学んでいく時代だと感じています。

歴史的に見て、日本が停滞するときというのは、官の力が強くなり過ぎた時であるといえます。特に、官の決めた教育制度のもと、その官立の学校を出たものでないとリーダーにはなれないということが、その時代のひどさを物語っているようです。

まさに近年までの日本がそうです。東京大学法学部を頂点とした官立大卒業者が、経済、金融を強権的にリードしてきました。そのツケがここに来て一気に表出してしまいました。

本来なら、次に育っていなければならない民間のベンチャーの多くが、出る杭として、ことごとく打たれてきたのです。

現在の日本の経済が停滞した原因は、官主導の教育と東大を主とした国立大卒のエリートによる官僚統制経済によってもたらされました。

しかし、元気な分野もあります。マンガやアニメの世界です。

この分野は、世界でも大活躍しています。世界的に活躍しているビジネスコンサルタントの大前研一氏も述べています。

「日本が世界でも突出した才能を大量に抱えている分野があります。それはマンガであり、アニメであり、ゲームです。これらの業界はぶっちぎりで日本が世界一です。たくさんのクリエーターが競い合い、世界に誇れるすばらしいクリエイティビティを発揮しています。」（『質問する力』／文藝春秋）

私が台湾やタイ、フランスなどで仕事をしていた頃、それらの国では日本を代表するマンガ『ドラえもん』が凄い人気でした。

学生やビジネスマンの間でも話題でした。誇らしい反面、日本人から見ると、その世界規模での人気は不思議でした。

日本でも書店に行くと、『ドラえもん』は幼児から小学六年生の学習教材でも、幅広く活躍しています。なぜ、子どもは『ドラえもん』の教材が好きなのでしょうか。

それは、面白くて、わかりやすいからです。

文部科学省の指導で作っていないからです。私の息子は漢字から算数、歴史まで『ドラえもん』のテキストを揃え、楽しそうに読んでいます。

もちろん教材ではない本物のマンガも大好きです。

私は、すでに日本は私立の時代、塾の時代に来ていると考えています。

公立の学校でがんばっている先生、生徒の力を伸ばしている先生のほとんどは、独自の教育法を実践しているようです。今後、さらにユニークで強力な塾や先生が登場してくると思うと、楽しみでもあります。

そして、みなさんも時間があるときに、『ドラえもん』の教材を読んでみてください。思っている以上に面白く、大人が読んでもとても勉強になります。

POINT

- 楽しく学べる教材を見つけることが大事
- 楽しいとどんどん学びたくなる

32 辞典類はケチらない

学生時代や20代のときのことで、最も反省していることの一つは、辞典類にお金をケチってしまったことです。

辞典を買うなら、普通の単行本を買ったほうがよいと考えていたのです。

そのためか、マメに辞典を引く習慣をつけるのに苦労しました。30代後半ぐらいから、気になる辞典を少しずつ揃え始めました。買って机の上に置いている以上、引かないと損した気分になります。ちょくちょく辞典を引いていると、次第に面白くなるから不思議です。

そのうち出張や旅行のときにも、最低2、3冊持っていくようになったほどです。

その重さに慣れてしまい、荷物が軽いと寂しくなってしまいます。現在は携帯のできる便利な電子辞書などがあるのでそれでもよいのでしょうが、どうも私は相変わらず、荷物が重くないとダメなようです。

気に入った辞典は、自宅と仕事場どちらにも同じものを置くようにしています。よく使う『新明解国語辞典』（三省堂）は、自宅でも机の上、食堂のテーブル、居間の本棚のところと3カ所に置いています。

私がよく使う順に辞典を紹介します。

①『新明解国語辞典』（三省堂）
②『広辞苑』（岩波書店）
③『日本語大辞典』（講談社）
④『日本国語大辞典』（小学館）
⑤『新漢語林』（大修館書店）

⑥『全訳読解古語辞典』（三省堂）『類語国語辞典』（角川書店）
⑦『ジーニアス英和辞典』（大修館書店）
⑧『リーダーズ英和辞典』（研究社）『リーダーズ・プラス』（研究社）
⑨『コンテンポラリー英英辞典』（ピアソン・エデュケーション）

私などは、本当にかわいいもので、ベストセラーにもなった『「考える力」をつける本』（三笠書房）を書いた轡田隆史（くつわだたかふみ）氏は、「わが家で辞書が一冊も置いていないのは、トイレと風呂場と洗面所だけ」と言っています。

その本の中でも、轡田氏が具体的にどんな辞書を持っていて、そして使っているかが詳しく書かれています。とても書ききれませんので、興味のある方は参照してみてください。

轡田氏が言うには、「辞典さえそろえておけばなんとかなるという滑稽な思い込みのタマモノだが、実際に会社でも家でも、ひんぱんに辞典に当たっては助けられている。アイデアに窮したときにはまず辞典を開く。必ずといっていいほど、ヒントにありつく。辞典は「知」そのものの「総索引」なのである」（同前掲書）。

作家の村上春樹氏は、『リーダーズ英和辞典』（研究社）を、暇を見つけては読むのが楽しいと言っています。

歌手で作詞作曲もする井上陽水氏も、若い頃、国語辞典をウンウン言いながら眺めて、ユニークな詞を作ったようです。

辞典はあせらず楽しみながらじっくりと一冊ずつ揃えていきましょう。辞典を引く習慣を身につければ、自然と語彙力もついてくるはずです。

POINT

- 気になることを辞典で引く習慣をつけよう
- 辞典を引くと、国語力・語彙力が身につく

33

週に一度は書店に行って、本を買う

インターネットの登場で、本を買うことはかなり便利になりました。わざわざ書店に足を運ぶ必要もありませんし、在庫の状況もすぐにわかります。

しかし、〝学ぶ環境〟という立場からいえば、書店に足を運ぶ習慣は大切にしたいものです。書店の最もよいところは、自分の買いたい本以外の本もチェックできることです。

つまり、学ぶための視野を広げてくれるのです。

インターネットはとても便利ですが、すべてのキーワード項目を検索することは不可能です。大切なことは自分で書店に行き、自分でキーワードを考えることです。

たとえば、「環境」について勉強しているとします。環境のコーナーに行けば、たくさんの環境に関する本が置いてあります。

ところが、環境問題はさまざまな分野で重要なことが論じられているので、他のコーナーをのぞいてみることによって、思ってもみなかった本が見つかることがあります。「目からウロコが落ちる本」は、結構そのようにして見つかるものです。

書店はさまざまなジャンルの本であふれています。インターネットではなかなか出会えない本に出会える可能性を無限に秘めています。書店によってオススメ本が特集されているコーナーなどもありますので、そういうコーナーを見ているだけでも楽しいものです。

また、話題書やベストセラーのコーナーなどを見ていると、今の流行が手に取るようにわかります。たとえば、「ＮＩＳＡ」や「投資」をテーマとした本が多かったら、「将来にお金の不安があるから、投資をやろうとしているのかなぁ」などいろいろと推測することができます。

また、書店に行く利点には、買う前に実際に手にとって、中身をパラパラと確認できることもあります。

インターネットでは、この点が不十分なのです。内容確認の連続で買うべき本を見つけることができますし、新しい情報もインプットできます。

他にも、書店ではイベントを定期的にやっています。

自分の好きな著者のイベントに参加してみたり、自分が好きなテーマのイベントに参加することで、共通の趣味を持つ友だちができるかもしれません。

何より、イベントに参加することで、勉強への意欲が高まるはずです。

私は、本はなるべく図書館などで借りるのではなく、自分で購入したいと考えております。理由としては、図書館だと読みたい本が貸し出し中ということもよくありますし、人におすすめしたくても家族や友だちに貸したりすることもできません。

本を自分で購入することで、読書も勉強も真剣になります。本はやはり自分で手に入れることが大事です。グンと学習意欲が高まります。

書店には、情報の信頼性が高い本が並んでいます。本を読むことや購入することは、豊かな精神や体験をもたらしてくれます。個人の成長には欠かせない場所ですので、ぜひ積極的に利用をしてみてください。

POINT

- 定期的に書店に行こう
- 書店に行って学ぶ視野を広げよう

34

すぐに使える情報整理法

私が本を書くようになってから、一番進歩したのは役に立つ「情報収集法」と使える「情報整理法」です。まず前者の「情報収集法」について述べます。

よい文章を書くコツは、自分にしか書けないこと（内容・情報）をわかりやすく伝えるということです。つまり、自分のオリジナルな情報をいかに集めるか、しかも、その情報は他人にとっても「面白くて、役に立つ」ものであれば最高です。

さらにいえば、時代はますます「自己責任の原則（自分の仕事の結果を組織や他人のせいにできないこと）」が徹底されるようになってきています。

このような時代には、自分で情報を集め、自分で分析し、自分で判断しなくてはなりません。そのためによいのは、一人ひとりが自分の文章を書き続けることです。自分の書いた文章は自分の勉強を深めたり、自分の考えを検証したりするための道と考えればよいでしょう。

大人の勉強とは、情報にすぐに左右されないためにも、自分自身の責任と判断において生き抜いていくためのものでもあります。

では具体的にどうすればよいのでしょうか。まず、人生の目的をしっかりと立てます。さらに三年目標、そして一年目標も立てます。その上で、自分が求めている判断材料・勉強の資料を集めます。

ネットニュースや新聞、雑誌にはない、現場に詳しい人からの情報も手に入れます。さらに、立場の異なる人の情報も集めます。

集めた情報は、自分なりの検証が必要となります。一般情報、基本情報としての本やネットニュース、雑誌、新聞の情報を集めておきます。

自分の追い求めるテーマについては、手に入れることのできる本はそれなりにすべて目を通すか、買っておいたほうがよいでしょう。

次に、「情報の整理法」について述べます。情報の整理は、「目的、テーマごとに一カ所に集めておく」という鉄則があります。本の場合、一冊の本からいくつかの情報がありますが、自分の最も関心のあるテーマのところに置きます。

たくさんの本を出している著者であれば、著者ごとに集めておいて、本の中の見返したいページに忘れないための書き込みや写真を撮っておくと便利です。

ネットニュースは気になった記事をスクショして、テーマごとにフォルダに入れて保管しておきましょう。

新聞や雑誌あるいはメモや録音は、一つの袋に入れてまとめておきます。増えれば二つ目の袋、三つ目の袋を作り、袋が増えるとそれをダンボール箱に入れるようにします。そして必要な箇所をコピーして入れるか、破いて必要なページだけを袋に入れるようにします。

テーマを決め、問題意識を持っていると、向こうから情報がやって来ることもよくあります。

大事なものだから絶対この資料は忘れないと思っていても、時間が経つとすっかり忘れてしまうことはよくあります。忘れることを前提に、情報は一カ所に集めておくことが肝要です。

人は忘れる生き物ということを心しておきましょう。

POINT

- 情報があふれている時代では、情報整理がとても大事

35

友だちに学ぶ

これまでに勉強法に関する本はたくさん出ていますが、多くの文献が見落としがちなのが友人の存在です。

理想のよい友だちというのは、お互いに勉強し、切磋琢磨し、刺激し合い、励まし合い、楽しんで人生を送ることができる関係だと私は考えています。

人は一人では生きていけないようにできています。人が動物と違って、幅広い活動や思索ができるのは、一つにはこうした交友関係があるからではないでしょうか。友だちの存在は勉強や仕事において、自分を飛躍的に上達させてくれます。

ですから、よい友だちの存在は勉強を続ける上でも重要といえるでしょう。では、どうすればよい友だちができるかについて、簡単にいくつかのポイントを述べておきます。

私のこれまでの人生で学んだことです。

まず、「友だちになる人は自分と同じレベルの人だ」という法則めいたものがあります。自分が勉強しない、勉強しても結果が出ていないとすると、最初から理想の友だちはできないということです。

だから、勉強する姿勢を持ち続け、他人から見ても「伸びる人」であると認めてもらえるようにしなければいけません。

次に、親友というのは、それほど多くの人数はできないということです。しかも尊敬できる友だちは、一人か二人いればよいのです。

アメリカ、そして日本で大ベストセラーとなった、キングスレイ・ウォードの『ビジネスマンの父より息子への30通の手紙』(城山三郎訳／新潮社)には、「親友は三人もいれば恵まれていると思え」と書かれています。

どのような友人がよいかについて、キングスレイ・ウォードは次のような条件を挙げています。

①性格がよい、②しっかりした倫理観を持っている、③廉恥心とユーモアがある、④勇気と確信を持っている人です。

逆にこのような4つの条件を自分が備えれば、よい友人に恵まれるはずだということになるでしょう。私はその4つの条件に次のことをつけ加えています。

それは、⑤ケチでないことです。ケチとは、お金のこともそうですが、情報や勉強の内容のことをすべて隠さない人であることです。

そして、⑥嫉妬が少ない人です。よい友人というのは当然、力もあり、異性にももてる人である確率も高くなります。嫉妬は自分のバネにもなりますが、ある程度に抑える努力をしないとよい友人を失ってしまいます。

最後にやはり、⑦勉強好き、そして本好きであることを挙げておきたいと思います。

私自身、大学時代の友人は、今でも友人のままです。小学校、中学校、高校の友人も大切にしています。それに加え、ビジネスの世界での友人は、また格別のものがあります。

この人たちがいるから自分はがんばれるのだと思います。

自分のステージごとに、友人は変わるかもしれません。それでも「親友がいる、だからがんばれる」という考えができるようになりたいものです。

POINT

- よい友だちをつくるのはとても重要
- 自分のレベルを上げてよい友だちをつくる

36

夜の街に学ぶ

お酒や夜の街、つまり飲み屋などでの経験が人生勉強や人間研究の大きなテーマであることはだれもが知っていることでしょう。

開高健(かいこうたけし)が作家としてデビューし、バーやクラブに出かけると、文壇の先輩たちから次のようにいわれたそうです。

「女と食いものが書けなければ一人前じゃないよ」と。

実業界においても、古きよき時代の経営者たちは、銀座の高級クラブを中心として、活発に夜の街に繰り出していました。

今の時代に、松下幸之助、井植歳男、本田宗一郎、盛田昭夫らが、全盛期のように銀座で夜遊びをしていようものなら、写真週刊誌にスクープされて大騒ぎだったかもしれません。

いずれにしても、お酒の飲み方は、仕事に生きる人間にとって永遠のテーマです。ビジネスの世界が9時から17時で完結することはありえません。

お酒の場は、人間修行の場でもあると同時に、自分が他人から試されている（品定めされている）場でもあるのです。

最近では、かつてのように料亭やクラブで取引先を接待する機会は少なくなりました。しかし、まったくなくなったわけではありません。接待において相手を不快にさせたならば、それはビジネスマンとしての力量は、かなり低いと見てよいでしょう。

接待ではなく、自分一人や仲間と一緒に飲みに行くこともあるでしょう。このようなときでも、その店にいるママやマスターにどう見られているかで、その人の仕事のレベルがわかるのです。もちろん大人の勉強力、学ぶ力もわかります。

いろいろなお客様と長年接している人は、お酒の飲み方やお店のスタッフとの接し方で、

その人の本質を見抜いてしまいます。これは恐ろしいほど当たります。

もし、あなたが自分の力量を知りたければ、10年（できれば20年以上）店をやっているママやマスターに率直に聞いてみてください。いや、彼らはお客様に正直には言いません。だから、友人に何気なく聞いてもらうのです。実に見事に言い当ててくれます。

このことは、私たちにいろいろな示唆を与えてくれます。ここでは、ママ（経営者）の立場と接客の女性の立場に分けて考えてみます。

〈ママの視点〉
○リピーターとなってくれる人がよい
○お金の支払いを気持ちよくしてくれる人がよい
○ママ（マスター）に気をつかい、店内の状況をすぐに理解してくれる人がよい

〈女の子の視点〉
○会話が楽しい人がよい。時間があっという間に過ぎていくと感じる人がよい

○自分のことを気に入ってくれている人がよい
○仕事のグチを言わない人、仕事の楽しさが伝わる人、尊敬したくなる人がよい

ママからも接客の女性からも嫌われるのは、①酒ぐせの悪い人、②おさわりする人、③暗い人、④店内の状況が見えないわがままな人です。

お酒、夜の街ほど奥深いものはありません。私もこれからも心して学んでいくつもりです。

POINT

●大人の勉強にお酒はつきもの
●飲み屋での振る舞いも大事

37

机と本棚を持つ

勉強の効率を上げるためには、まず勉強への意欲を持つということが大切です。勉強するぞ、という決意が必要です。

その上で、やはりできるならば、勉強の目的を達成していくための環境を整えていくべきです。周りを見渡すと、机を買ったり、本棚を買ったりするためにお金を使うのはもったいないと考えている人が多くいます。

このような人は、人生そのものをもったいないものにしているのです。

机と本棚と言いましたが、机は部屋の大きさを考えて、テーブル（食事と兼用）を使っても構いません。私は、書斎の机と食事用テーブルを使い分けています（気分転換のために）。

しかし本棚は絶対必要です。ビジネスマンの〝城〟だという人もいます。「城がない人は戦にも弱い」という比喩なのでしょう。


本棚は、できれば、壁一面に作り付けのものがよいでしょう。少々費用はかかりますが、その部屋の構造に合わせて効率的に作ってもらえます。私の場合、棚の高さを自分で調整できるものを作ってもらいました。文庫本だと、余計に置くことができますし、大きな本でもうまく入れられるようになります。

書斎は、窓もふさいで書棚にすると一面多く活用できます。しかも光とほこりが入りにくくなるので、本を保存するには適していますす。ただし、換気には注意しなくてはいけません。ドアをときどき開けるようにします。エアコンも必需品です。


書斎の机の上は常に臨戦態勢にしておかなくてはいけません。

電気スタンド、パソコン、ペン立て、ノート類、辞書類、電卓、人によっては音楽プレーヤーなどを用意しておきます。パソコンは、机のすべてを占領させないようにしましょう。

書斎や本棚を持つことには、他にもいくつかのメリットがあります。例として五つほど挙げていきたいと思います。

①整理整頓ができる

文房具などの整理整頓もでき、集中して勉強できる環境がつくれる

②姿勢の矯正

自分に合った机や椅子は、正しい姿勢を保つのに役立つ

③集中力の向上

仕事や勉強をするためだけの空間なので、集中力が高まる

④リラックス効果

読書やアイデアを考える場所として活用できる

⑤スケジュール管理

自分専用の学習スペースを持つことでスケジュールが立てやすくなる

環境を整えることにより、集中でき、学習効果の向上が期待できます。勉強の意欲も格段に上がるはずです。

何より、机や本棚を買ってしまったら、その分のお金を回収しないともったいないという気持ちも働くため、重い腰も上がりやすくなるでしょう。

POINT

- 勉強には決意が必要
- 自分が集中できるスペースをつくろう

38

道具選び

勉強において道具は意外と軽視されがちです。しかし、筆記用具やノート、メモによって勉強に対する気持ちが変わることもあるため、重要です。

特に私たち大人の勉強は「楽しむこと」がテーマの一つです。

大人になってからは、学校のようにあれこれと道具についてうるさく言われません。しかし、学生時代に制約が大きかったせいか、日本人の特性なのかわかりませんが、大人になってパソコンにはこだわるけど、筆記用具などの道具にこだわる人は少ないようです。

道具は、必ずしも値段が高く、品質のよいものがふさわしいとはいえません。あくまでも自分が気に入った道具を揃えておくことです。

そうすれば勉強が楽しくなるのです。

まず、ペン類ですが、私はシャープペン、サインペンの気に入ったものは常時20本か30本揃えておきます。机の上、テーブルの横、ベッドの近く、カバンの中、上着の内ポケットなどにすぐに使えるように置いておきます。

ノートはあまり使いません。ただ、英語の本を翻訳するときは、例外的にＢ５サイズの厚めの大学ノートに下調べしたメモを記録しながら進めます。調べたことがバラバラに逸してしまうと大変だからです。

それ以外では、基本的にＢ５サイズの２００字詰原稿用紙を机の上、テーブル、カバンの中など、ペンと同じように、あちこちに置くようにしています。何か思いついたときにすぐにメモできるからです（さらに、自分の目標などを記入した手帳を持ち歩いています）。

ちょっとした買い物や、子どもとのつき合いなどでキャッチボールをするときも、リュックにペンとこの原稿用紙をメモ代わりに入れておきます。

お昼に、一人でそば屋に入ったときのことです。たまたま店のテレビで気になる情報やニュース、名前が出てきたり、置いてある雑誌をめくったりしていたとき、役立ちそうな記事を見つけたとき、すぐにメモができました。

本を書く仕事をしているから道具を揃えているんだ、という人もいるかもしれません。実は、本を書く以前から、道具に対する楽しみ方は変わっていません。

勉強しようという目的を持っている人は、それぞれに自分の気に入ったペンやメモ帳やノートを買い揃え、いつも持ち歩くとよいでしょう。ずいぶんと気持ちが違ってくるはずです。

ですが、スマホを常に持っているから、メモもできるし、写真も撮れるし、スクショもできるから文房具なんていらない、と思われる方も多いと思います。

アメリカのプリンストン大学とカリフォルニア大学の共同研究では、講義のときにパソコンを使っている学生より、手書きでノートを取っている学生のほうが記憶の定着率が高いという結果があります。

やはり、手書きだと、いろいろとメリットがあるのでしょう。自分で考えてノートを取らなければいけなかったり、書くことで脳が活性化するということもあります。手書きならではのよさはたくさんあるので、手書きの習慣を楽しくするためにも道具にはこだわりましょう。

特に、大人の勉強は自分の役に立つからこそやるもので、しかも楽しみながらやるものです。ですから、いつも気分をよくして、勉強がはかどる工夫をしておくことです。ペンやノートなどの文房具は、その一つだと考えてください。

POINT

- 大人の勉強は道具にこだわる
- 自分が楽しめることが大事

39

スキマ時間の利用法

私は、自分の経験から、スキマの時間を活用して勉強することができるかどうか、これが、大人の勉強の成否を分けるのではないかと考えています。

仕事をやっていると忙しいのは当たり前です。学生の頃のようにたっぷりと時間があるわけではありません。だから、どうしても10分、20分のスキマ時間をうまく活用しなければなりません。**スキマ時間は限られているからこそ、かえって集中力が発揮できるのです。**

20代の頃、私はいろいろなところでアルバイトをしていました。池袋の居酒屋でアルバイトをしていたときのことでした。その仕事は一時間交代で休憩がありました。

私は休憩室でとりつかれたように本を読みました。私の隣には慶応大学でフランス文学を勉強していた人がいて本を読んでいました。彼は調理の担当で、やはり彼も休憩中に夢中で勉強をしていました。

居酒屋で働いていると、嫌なこともたくさんあります。酔っ払いにからまれることもあります。男と女が繰り広げる駆け引きも見なくてはなりません。

しかし、休憩時間というスキマ時間の勉強が、私の心を前向きに、そして自分に気概のようなものを与えてくれるのでした。すると、普段より勉強がはかどるので実に不思議です。


これは会社に入ってからも続けました。「出遅れた社会人」の私は、ビジネスについて知らないことばかりでした。

まず早起きの習慣を心がけました。朝4時、遅くとも5時には起きて、軽くジョギングをします。シャワーの後、30分くらい勉強します。人もまばらな早めの電車に乗って、会社近くのモーニングサービスのある喫茶店に入ります。

ここで本を読みます。あるいは英語の勉強（主に英単語を覚えるなど）をします。この始業前の喫茶店での勉強は、私の気分を盛り上げてくれました。

朝の時間を使って人より勉強している、という自信からでしょうか、実際に仕事でも面白いように結果が出ました。

そうすると、仕事が始まっても元気なのです。始業時間になってもボーッとしていたり、ネットニュースを見ている人に比べ、他の人よりも仕事が捗りました。

仕事の用事で人と会わなくてはいけないときは、必ず約束の時間の30分前に到着しています。待ち合わせ時間に遅れることは、ビジネスルールとしてNGです。そこでまた、待っている間に本を読みます。

しかし、私は相手が遅れて来ても気になりません。なぜなら、勉強する時間が増えるからです。それを次の仕事の成果に活かせるからです。

精神衛生的にも、この30分前到着はおすすめできます。

持ち歩く本は2、3冊にしておきます。荷物を増やしたくない人は電子書籍でもOKです。本は短時間で読めるものなどがよいでしょう。小説はおすすめできません。面白いだけに、その後、仕事を再開するときに気分が乗らなくなる恐れがあるからです。

このように、自分のルーティーンをつくってしまえば、勉強することや仕事が苦ではなくなります。むしろ、やらないときのほうが気持ち悪く感じてしまいます。

まずは自分でルーティーンを決めて、3週間続けてみてください。3週間続けることができれば、習慣化され、その後はそれが当たり前になってきます。

これは科学的にも証明されているので、ぜひ試してみてください。

POINT

- 時間がない現代社会ではスキマ時間の活用が大事
- スキマ時間に勉強する習慣を身につけよう

40

トイレと風呂を活用する

32歳である会社に就職した私は、遅れたビジネスに関する知識を得ようと必死でした。朝早く起きて、通勤電車や会社近くのコーヒーショップで勉強をしたり、本を読むということはすでにご紹介しました。

それ以外にも、トイレと風呂を積極的に活用したものです。

まず、トイレですが、2DKのマンションのトイレの中にも自分で小さな本棚を用意しました。そこにメモとペンを備え置きました。

この方法を当時、小学生の息子がマネをしてしまい、このところトイレが彼専用の勉強部屋になってしまい、対策が必要となりました（深夜のトイレで勉強するようにするなど）。

トイレの電気は少し暗いのが普通ですが、わが家は100ワットで、それこそ目にやさしくしています。

次にお風呂です。30代の前半までは風呂では英会話の本を徹底的に読み、声に出して暗記するようにしていました（風呂の中で声に出すと英語がうまくなったような気がします）。風呂の脱衣所に大きめのカラーボックスを置き、そこに本や辞書を置きます。

当時、出版されていたほとんどの英会話の本を読破しました。何度も読む本は、ボロボロになりました。表紙にビニールのフィルムを貼りつけたりしましたが、本を保護するには限界があります。しかし、本にとっても読まないよりは、ボロボロになってでも読んでくれたほうがうれしいでしょう。

濡れていないところか、頭上にタオルを置いて、ページをめくる前に手を拭くようにしていました。それでも、やはり本は少々痛みます。風呂用の本とするしかありません。気に入っている本ならば、もう一冊買うようにしたほうがよいでしょう。

実際に一日に勉強に使える時間は24時間のうち6時間くらいです。日にトイレとお風呂で50分使う計算すると、「一年間で約50日」の時間が活用できることになります。一年が約400日になるのです。

つまり、トイレとお風呂を活用して勉強している人は、「7年間で1年分」追加で勉強できることになります。さらに、「20年間で3年分」人よりも勉強し、長く生きているのと同じ価値があります。

これは、毎日の通勤電車を利用するかどうかも同じことがいえるかもしれません。

お風呂についてつけ加えると、私の経験では頭の働きもよくなる気がします。温泉に入ると、次々に文章を書く力、アイデア、構想が浮かんできます。

また、お風呂に入るとα波が出やすくなるといいます。α波とはリラックスしている脳波の波系の一つで、これが出ている脳は勉強などに最適な状態といわれています。

だから、昔から大作家たちは温泉を好んだのでしょう。温泉ほどではなくても、自宅の風呂も工夫次第ではそれに近い効用を生んでくれるのではないでしょうか。そこで、私は入浴剤にも凝っています。

私は早朝風呂型ですが、休日は朝食の後で、ゆっくりと入ります。夜にもう一度風呂に入ります。

こうして場所や気分を変えて、読書なり、勉強なりを楽しむよう工夫しているのです。工夫というよりも、気持ちよくてやめられない、というほうが正しいのかもしれません。

POINT

●時間がない現代では、風呂とトイレの時間も有効に使う

41

学んだことをアウトプットする方法

せっかく勉強をしても、うまくアウトプットできていない人が多いのも事実です。

アウトプットというのは、勉強した情報を頭から出すことです。

では、勉強で身につけた知識をどうやってアウトプットしたらよいのでしょうか？

私が一番オススメしている方法としては、学んだことを要約して、文章にすることです。

脳科学的には紙に文章や図を書くことをオススメしています。手で紙に書くことによって、集中力が高まり、記憶に定着しやすくなり、理解度が高まります。

紙に書いてまとめたことを、ブログに書いてもいいですし、X（旧ツイッター）で発信をしてもいいでしょう。ｎｏｔｅに書いて、販売してみるのもいいと思います。ｎｏｔｅ

で好評だった場合などは、出版社に持ち込んでみるのもいいかもしれません。

だれかに伝わるように文章を要約したり、SNSで発信するのはとても難しいと思います。ただ、要約や情報を整理することによって、記憶が強化されていきます。これは認知心理学でも証明されています。気軽に始められて最も効果が高い方法です。

また、文章を書くことによって、自分という人間が何を考えているのか、何をやりたいのかが明確になることもあります。

次にオススメなのは、人に話すことです。

まずは、家族や友人など身近な人に学んだことについて話してみましょう。人に話すことによって、自分の理解度や足りない部分などが明確になります。それを繰り返すことによって知識が深まっていきます。

そして、徐々に話していく人の範囲を広げていきましょう。会社の同僚や取引先の人、初対面の人にもしっかりと理解してもらえるようになれば一人前です。

ただ、この場合、無理やりにその話をすると嫌われてしまうので、話の流れなどを無視して話すのは絶対にやめておきましょう。


人に教えることに慣れてきたら、自分でセミナーや勉強会などを開催してみるのもよいと思います。自分の勉強していることに興味のある人との交流は、とても刺激になり、さらに勉強に身が入るようになるかもしれません。


ここまで書いてきたように、アウトプットに必要なことは、とにかくその知識を使う機会を多くつくること、行動することです。

アウトプットの機会を多くつくることによって、記憶力は強化されます。

たとえば、中学の数学を学び直したとしましょう。そうしたら、とにかく問題をたくさん解くのです。繰り返しドリルをたくさんやるのです。

英語を勉強したら、とにかく外国人と話しまくるのです。今は、外国人が集まるバーやSNSなどでも簡単に外国人とつながることができるので、自分次第でお金もかからず、機会はつくれると思います。

勉強したことを、アウトプットするという習慣を身につけて、学んだことをムダにしないようにしましょう。

POINT

- アウトプットするにはとにかく使用頻度が大事
- 使用頻度を増やせば理解が深まり、記憶が強化される

あとがき

学んだ数だけ道は開けます。

口では「私の人生こんなもの」「どうせ俺はできそこないだから」などと投げやりなことを言っている人もいます。しかし、そのような人でも本音は違うのではないでしょうか。「自分の人生どうなってもいい」という人はいないでしょう。

やはり、「なんとかしたい」「楽しい人生を送りたい」「すてきな恋愛がしたい」「仕事で活躍して、他人に注目してほしい」「世界に羽ばたきたい」などと考えているはずです。

では、このような本音の部分を実現することは不可能なのでしょうか。

そんなことはありません。世の中には自分のやりたいことを見つけて、その目標に向かって、日々前進している人がいます。

すでに夢を実現し、人生を楽しく過ごしている人がいます。だから、必ず「何らかの方法」を見出し、自分の思い描く人生を手に入れることができるのです。

私は、このような「何らかの方法」こそ、「勉強法」であると考えています。

あなたにふさわしい勉強法は必ずあります。まずは、その勉強法を見つけるための第一歩を踏み出す勇気を持つことです。

本書は、読者のみなさんにその第一歩を踏み出す力になることを目指して書きました。

私自身の勉強法の歴史をふり返ると、一言で表現するならば、まさに「遠回り」でした。

逆に、その「遠回り」を経たからこそ、本書の中でもいくつか紹介したような、要領よく、効率的な勉強法を身につけることができたともいえます。

私の勉強法は、受験勉強という意味では「遠回り」だったのかもしれませんが、自分の大きな目標を立てて右往左往したことが力になったので、自分に必要だったことのようです。

勉強法は一つではありません。

ぜひ、あなたの勉強法を確立し、夢や目標を次々と実現させてください。

最後に、読者のみなさまにお礼申し上げます。本書を手にお取りいただき、ありがとうございました。

遠越段

プロフィール

遠越 段（とおごし・だん）

東京生まれ。早稲田大学法学部卒業後、大手電器メーカー海外事業部に勤務。

１万冊を超える読書によって培われた膨大な知識をもとに、独自の研究を重ね、難解とされる古典を現代の漫画で読み解いていく手法を確立。

著書に『スラムダンク武士道』『時代を超える スラムダンク論語』『スラムダンク孫子』『スラムダンク葉隠』『ザッケローニの言葉』『ワンピースの言葉』『ゾロの言葉』『ウソップの言葉』『桜木花道に学ぶ“超”非常識な成功のルール48』『人を動かす！ 安西先生の言葉』『20代のうちに知っておきたい読書のルール23』『世界の偉人×賢人の知恵 すごい名言100』（すべて総合法令出版）がある。

頭のいい人だけが知っている
勉強の落とし穴

2023年12月19日　初版発行

著　者　遠越段
発行者　野村直克
発行所　総合法令出版株式会社
〒103-0001 東京都中央区日本橋小伝馬町15-18
EDGE小伝馬町ビル9階
電話　03-5623-5121
印刷・製本　中央精版印刷株式会社

落丁・乱丁本はお取替えいたします。

ISBN 978-4-86280-923-0
総合法令出版ホームページ　http://www.horei.com/